사고력 수학 소마가 개발한 연산학습의 새 기준!!

소마의 **마**술같은 원리**셈**

소마셈

B7

2학년

수학이 즐거워지는 특별한 수학교실
소마에서 개발한 연산교재 소마셈

소마셈

2002년 대치소마 개원 이후로 끊임없는 교재 연구와 교구의 개발은 소마의 자랑이자 자부심입니다. 교구, 게임, 토론 등의 다양한 활동식 수업으로 스스로 문제해결능력을 키우고, 아이들이 수학에 대한 흥미와 자신감을 가질 수 있도록 차별성 있는 수업을 해 온 소마에서 연산 학습의 새로운 패러다임을 제시합니다.

연산 교육의 현실

연산 교육의 가장 큰 폐해는 '초등 고학년 때 연산이 빠르지 않으면 고생한다.'는 기존 연산 학습지의 왜곡된 마케팅으로 인해 단순 반복을 통한 기계적 연산을 강조하는 것입니다. 하지만, 기계적 반복을 위주로 하는 연산은 개념과 원리가 빠진 연산 학습으로써 아이들이 수학을 싫어하게 만들 뿐 아니라 사고의 확장을 막는 학습방법입니다.

초등수학 교과과정과 연산

초등교육과정에서는 문자와 기호를 사용하지 않고 말로 풀어서 연산의 개념과 원리를 설명하다가 중등교육과정부터 문자와 기호를 사용합니다. 교과서를 살펴보면 모든 연산의 도입에 원리가 잘 설명되어 있습니다. 요즘 현실에서는 연산의 원리를 묻는 서술형 문제도 많이 출제되고 있는데 연산은 연습이 우선이라는 인식이 아직도 지배적입니다.

연산 학습은 어떻게?

연산 교육은 별도로 떼어내어 추상적인 숫자나 기호만 가지고 다뤄서는 절대로 안됩니다. 구체물을 가지고 생각하고 이해한 후, 연산 연습을 하는 것이 필요합니다. 또한, 속도보다 정확성을 위주로 학습하여 실수를 극복할 수 있는 좋은 습관을 갖추는 데에 초점을 맞춰야 합니다.

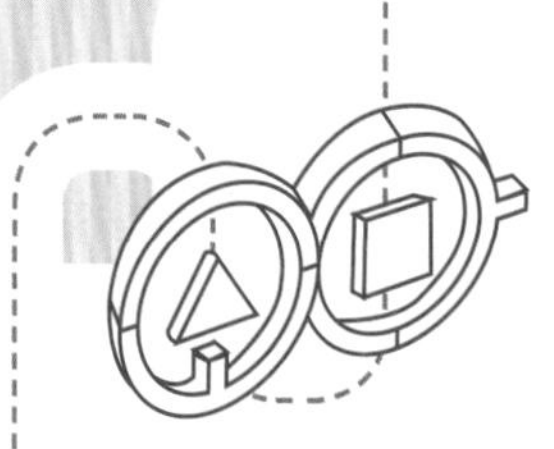

소마셈 연산학습 방법

10이 넘는 한 자리 덧셈 구체물을 통한 개념의 이해

덧셈과 뺄셈의 기본은 수를 세는 데에 있습니다. 8+4는 8에서 1씩 4번을 더 센 것이라는 개념이 중요합니다. 10의 보수를 이용한 받아 올림을 생각하면 8+4는 (8+2)+2지만 연산 공부를 시작할 때에는 덧셈의 기본 개념에 충실한 것이 좋습니다. 이 책은 구체물을 통해 개념을 이해할 수 있도록 구체적인 예를 든 연산 문제로 구성하였습니다.

가로셈 가로셈을 통한 수에 대한 사고력 기르기

세로셈이 잘못된 방법은 아니지만 연산의 원리는 잊고 받아 올림한 숫자는 어디에 적어야 하는지만을 기억하여 마치 공식처럼 풀게 합니다. 기계적으로 반복하는 연습은 생각없이 연산을 하게 만듭니다. 가로셈을 통해 원리를 생각하고 수를 쪼개고 붙이는 등의 과정에서 키워질 수 있는 수에 대한 사고력도 매우 중요합니다.

곱셈구구 곱셈도 개념 이해를 바탕으로

곱셈구구는 암기에만 초점을 맞추면 부작용이 큽니다. 곱셈은 덧셈을 압축한 것이라는 원리를 이해하며 구구단을 외움으로써 연산을 빨리 할 수 있다는 것을 알게 해야 합니다. 곱셈구구를 외우는 것도 중요하지만 곱셈의 의미를 정확하게 아는 것이 더 중요합니다. 4×3을 할 줄 아는 학생이 두 자리 곱하기 한 자리는 안 배워서 45×3을 못 한다고 말하는 일은 없도록 해야 합니다.

K단계 (5, 6, 7세) • 연산을 시작하는 단계

뛰어세기, 거꾸로 뛰어세기를 통해 수의 연속한 성질(linearity)을 이해하고 덧셈, 뺄셈을 공부합니다. 각 권의 호흡은 짧지만 일관성 있는 접근으로 자연스럽게 나선형식 반복학습의 효과가 있도록 하였습니다.

학습대상 : 연산을 시작하는 아이와 한 자리 수 덧셈을 구체물(손가락 등)을 이용하여 해결하는 아이

학습목표 : 수와 연산의 튼튼한 기초 만들기

P단계 (7세, 1학년) • 받아올림이 있는 덧셈, 뺄셈을 배울 준비를 하는 단계

5, 6, 9 뛰어세기를 공부하면서 10을 이용한 더하기, 빼기의 편리함을 알도록 한 후, 가르기와 모으기의 집중학습으로 보수 익히기, 10의 보수를 이용한 덧셈, 뺄셈의 원리를 공부합니다.

학습대상 : 받아올림이 없는 한 자리 수의 덧셈을 할 줄 아는 학생

학습목표 : 받아올림이 있는 연산의 토대 만들기

A단계 (1학년) • 초등학교 1학년 교과과정 연산

받아올림이 있는 한 자리 수의 덧셈, 뺄셈은 연산 전체에 매우 중요한 단계입니다. 원리를 정확하게 알고 A1에서 A4까지 총 4권에서 한 자리 수의 연산을 다양한 과정으로 연습하도록 하였습니다.

학습대상 : 초등학교 1학년 수학교과과정을 공부하는 학생

학습목표 : 10의 보수를 이용한 받아올림이 있는 덧셈, 뺄셈

B단계 (2학년) • 초등학교 2학년 교과과정 연산

두 자리, 세 자리 수의 연산을 다룬 후 곱셈, 나눗셈을 다루는 과정에서 곱셈구구의 암기를 확인하기보다는 곱셈구구를 외우는데 도움이 되고, 곱셈, 나눗셈의 원리를 확장하여 사고할 수 있도록 하는데 초점을 맞추었습니다.

학습대상 : 초등학교 2학년 수학교과과정을 공부하는 학생

학습목표 : 덧셈, 뺄셈의 완성 / 곱셈, 나눗셈의 원리를 정확하게 알고 개념 확장

C단계 (3학년) • 초등학교 3, 4학년 교과과정 연산

B단계까지의 소마셈은 다양한 문제를 통해서 학생들이 즐겁게 연산을 공부하고 원리를 정확하게 알게 하는데 초점을 맞추었다면, C단계는 3학년 과정의 큰 수의 연산과 4학년 과정의 혼합 계산, 괄호를 사용한 식 등, 필수 연산의 연습을 충실히 할 수 있도록 하였습니다.

학습대상 : 초등학교 3, 4학년 수학교과과정을 공부하는 학생

학습목표 : 큰 수의 곱셈과 나눗셈, 혼합 계산

D단계 (4학년) • 초등학교 4, 5학년 교과과정 연산

분모가 같은 분수의 덧셈과 뺄셈, 소수의 덧셈과 뺄셈을 공부하여 초등 4학년 과정 연산을 마무리하고 초등 5학년 연산과정에서 가장 중요한 약수와 배수, 분모가 다른 분수의 덧셈과 뺄셈을 충분히 익힐 수 있도록 하였습니다.

학습대상 : 초등학교 4, 5학년 수학교과과정을 공부하는 학생

학습목표 : 분모가 같은 분수의 덧셈과 뺄셈, 소수의 덧셈과 뺄셈, 분모가 다른 분수의 덧셈과 뺄셈

소마셈 단계별 학습내용

K단계 추천연령 : 5, 6, 7세

단계	K1	K2	K3	K4
권별 주제	10까지의 더하기와 빼기 1	20까지의 더하기와 빼기 1	10까지의 더하기와 빼기 2	20까지의 더하기와 빼기 2
단계	K5	K6	K7	K8
권별 주제	10까지의 더하기와 빼기 3	20까지의 더하기와 빼기 3	20까지의 더하기와 빼기 4	7까지의 가르기와 모으기

P단계 추천연령 : 7세, 1학년

단계	P1	P2	P3	P4
권별 주제	30까지의 더하기와 빼기 5	30까지의 더하기와 빼기 6	30까지의 더하기와 빼기 10	30까지의 더하기와 빼기 9
단계	P5	P6	P7	P8
권별 주제	9까지의 가르기와 모으기	10 가르기와 모으기	10을 이용한 더하기	10을 이용한 빼기

A단계 추천연령 : 1학년

단계	A1	A2	A3	A4
권별 주제	덧셈구구	뺄셈구구	세 수의 덧셈과 뺄셈	□가 있는 덧셈과 뺄셈
단계	A5	A6	A7	A8
권별 주제	(두 자리 수)+(한 자리 수)	(두 자리 수)−(한 자리 수)	두 자리 수의 덧셈과 뺄셈	□가 있는 두 자리 수의 덧셈과 뺄셈

B단계 추천연령 : 2학년

단계	B1	B2	B3	B4
권별 주제	(두 자리 수)+(두 자리 수)	(두 자리 수)−(두 자리 수)	세 자리 수의 덧셈과 뺄셈	덧셈과 뺄셈의 활용
단계	B5	B6	B7	B8
권별 주제	곱셈	곱셈구구	나눗셈	곱셈과 나눗셈의 활용

C단계 추천연령 : 3학년

단계	C1	C2	C3	C4
권별 주제	두 자리 수의 곱셈	두 자리 수의 곱셈과 활용	두 자리 수의 나눗셈	세 자리 수의 나눗셈과 활용
단계	C5	C6	C7	C8
권별 주제	큰 수의 곱셈	큰 수의 나눗셈	혼합 계산	혼합 계산의 활용

D단계 추천연령 : 4학년

단계	D1	D2	D3	D4
권별 주제	분모가 같은 분수의 덧셈과 뺄셈(1)	분모가 같은 분수의 덧셈과 뺄셈(2)	소수의 덧셈과 뺄셈	약수와 배수
단계	D5	D6		
권별 주제	분모가 다른 분수의 덧셈과 뺄셈(1)	분모가 다른 분수의 덧셈과 뺄셈(2)		

1

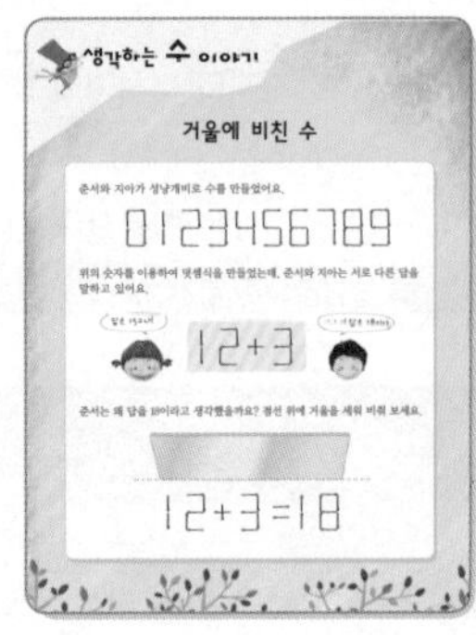

수 이야기

생활 속의 수 이야기를 통해 수와 연산의 이해를 돕습니다. 수의 역사나 재미있는 연산 문제를 접하면서 수학이 재미있는 공부가 되도록 합니다.

2

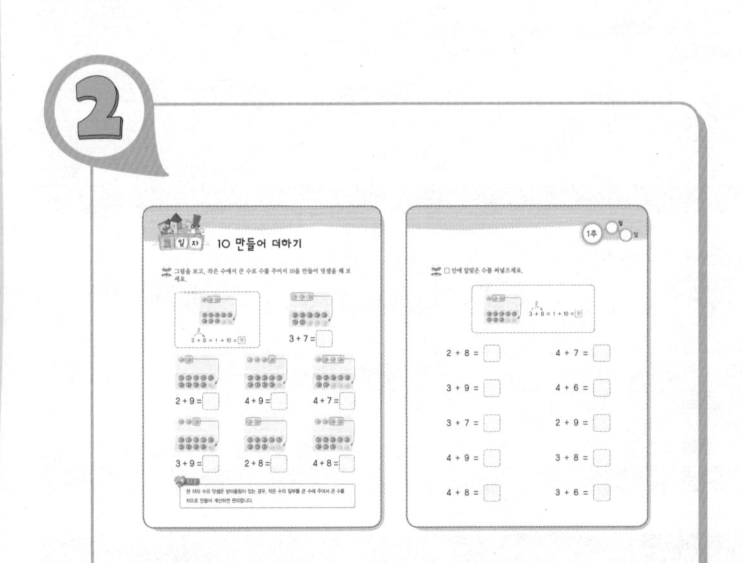

원리 & 연습

구체물 또는 그림을 통해 연산의 원리를 쉽게 이해하고, 원리의 이해를 바탕으로 연산이 익숙해지도록 연습합니다.

사고력 연산

반복적인 연산에서 나아가 배운 원리를 활용하여 확장된 문제를 해결합니다. 어려운 문제를 싣기보다 다양한 생각을 할 수 있는 내용으로 구성하였습니다.

□ 안에 알맞은 수를 써넣으세요.

22 + 7 = □ 24 + 8 = □
24 + 6 = □ 26 + 4 = □
33 + 8 = □ 31 + 8 = □
36 + 6 = □ 44 + 7 = □
43 + 8 = □ 53 + 7 = □
45 + 7 = □ 65 + 6 = □
52 + 6 = □ 67 + 8 = □

□ 안에 알맞은 수를 써넣으세요.

48 - 8 = □ 47 - 6 = □
45 - 6 = □ 33 - 4 = □
34 - 7 = □ 35 - 8 = □
32 - 9 = □ 31 - 3 = □
23 - 8 = □ 26 - 9 = □
21 - 5 = □ 23 - 4 = □
21 - 8 = □ 22 - 5 = □

Drill (보충학습)

주차별 주제에 대한 연습이 더 필요한 경우 보충학습을 활용합니다.

연산과정의 확인이 필수적인 주제는 Drill의 양을 2배로 담았습니다.

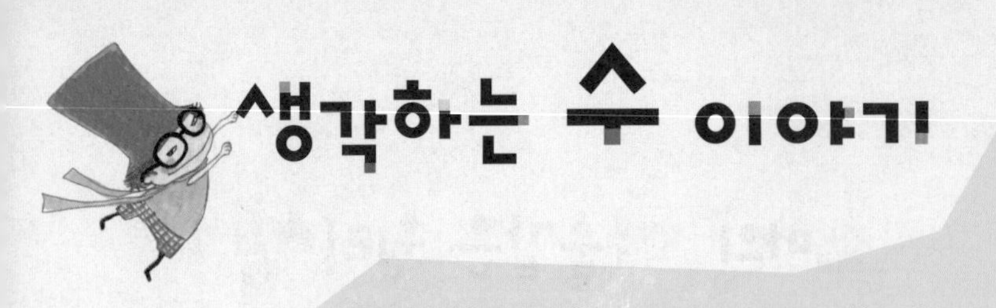

수학기호는 어떻게 만들어졌을까?

덧셈이나 뺄셈을 할 때는 '+', '−' 같은 기호를 사용해요.
더하기는 '+' 로 표시하고, 빼기는 '−' 로 표시하는 것은 사람들이 그렇게 하기로 약속을 했기 때문이에요.
그럼, 이런 기호는 어떻게 만들어졌을까요?

+, − 기호는 1489년에 독일의 비트만(Widman)이라는 사람이 쓴 산술책에 처음으로 사용되었어요. '+' 기호는 라틴어로 '~과' 를 의미하는 et을 빨리 쓰는 과정에서 +가 되었다고 하고, '−' 기호는 minus의 머릿 글자 m을 빨리 쓰는 과정에서 −가 되었다고 해요.

그런데 처음부터 +와 −를 더하기와 빼기를 의미하는 기호로 사용한 것은 아니었어요. +는 '너무 많다', −는 '모자란다' 는 의미로 사용하다가 차츰 덧셈(+)과 뺄셈(−)의 기호로써 사용하게 되었답니다.

소마셈 B7 – 1주차

똑같이 묶어 덜어 내기

똑같이 묶어 덜어 내기

그림을 보고 주어진 수만큼 묶어 덜어 내고, 뺄셈식으로 나타내 보세요.

6에서 2씩 [3] 번 덜어냅니다. ➡ 6에서 2씩 [3] 번 빼면 0이 됩니다.

6 - [2] - [2] - [2] = 0

8에서 4씩 [ ] 번 덜어냅니다. ➡ 8에서 4씩 [ ] 번 빼면 0이 됩니다.

8 - [ ] - [ ] = 0

12에서 6씩 [ ] 번 덜어냅니다. ➡ 12에서 6씩 [ ] 번 빼면 0이 됩니다.

12 - [ ] - [ ] = 0

 그림을 보고 주어진 수만큼 묶어 덜어내고, 뺄셈식으로 나타내 보세요.

10에서 2씩 □번 덜어냅니다. ➡ 10에서 2씩 □번 빼면 0이 됩니다.

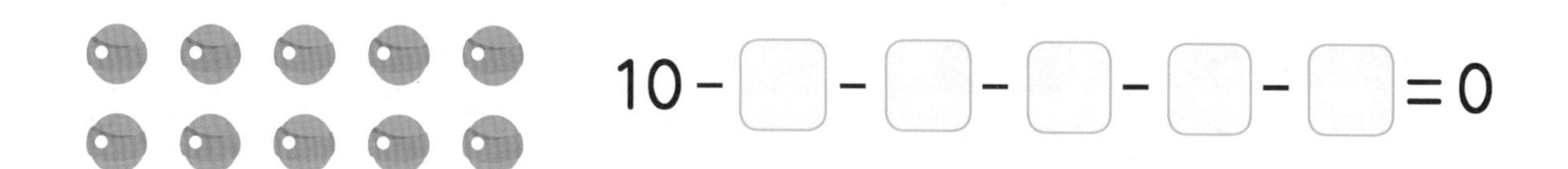

10 - □ - □ - □ - □ - □ = 0

15에서 5씩 □번 덜어냅니다. ➡ 15에서 5씩 □번 빼면 0이 됩니다.

15 - □ - □ - □ = 0

18에서 9씩 □번 덜어냅니다. ➡ 18에서 9씩 □번 빼면 0이 됩니다.

18 - □ - □ = 0

그림을 보고 주어진 수만큼 묶어 덜어내고, 뺄셈식으로 나타내 보세요.

12에서 4씩 ☐번 덜어냅니다. ➡ 12에서 4씩 ☐번 빼면 0이 됩니다.

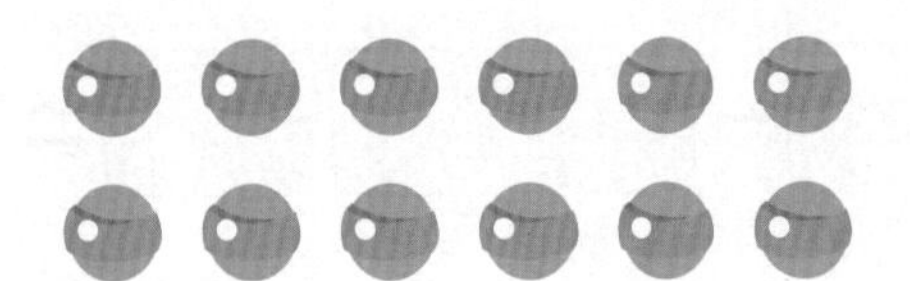

12 - ☐ - ☐ - ☐ = 0

9에서 3씩 ☐번 덜어냅니다. ➡ 9에서 3씩 ☐번 빼면 0이 됩니다.

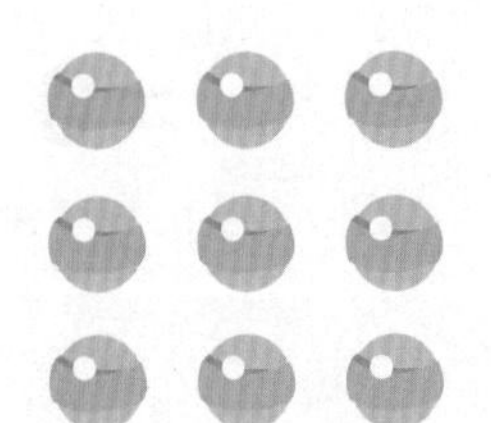

9 - ☐ - ☐ - ☐ = 0

14에서 7씩 ☐번 덜어냅니다. ➡ 14에서 7씩 ☐번 빼면 0이 됩니다.

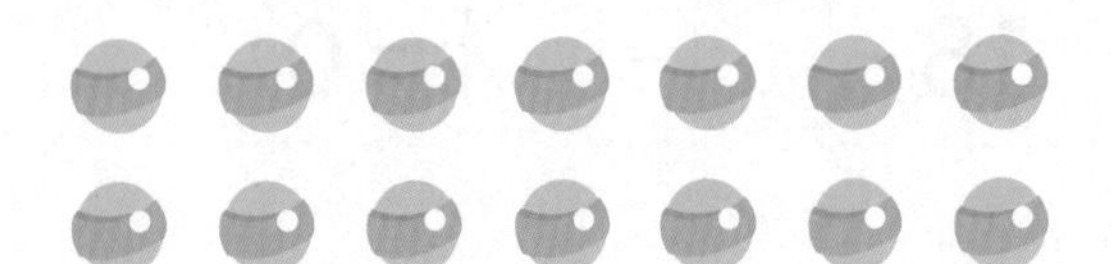

14 - ☐ - ☐ = 0

나눗셈식으로 나타내기

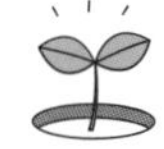
그림을 보고 뺄셈식을 이용하여 나눗셈식을 알아보세요.

6 - 2 - 2 - 2 = 0

3번

↓

6 ÷ 2 = 3

8 - 2 - ☐ - ☐ - ☐ = 0

↓

8 ÷ ☐ = ☐

16 - 4 - ☐ - ☐ - ☐ = 0

↓

16 ÷ ☐ = ☐

TIP

똑같이 덜어 내는 나눗셈식에서는 몫이 횟수를 나타냅니다.

6÷2=3 → 6에서 2를 3번 덜어낼 수 있습니다.

→ 6에서 2를 3번 빼면 0이 됩니다.

 그림을 보고 뺄셈식을 이용하여 나눗셈식을 알아보세요.

14 - 7 - ☐ = 0

↓

14 ÷ ☐ = ☐

10 - 5 - ☐ = 0

↓

10 ÷ ☐ = ☐

15 - 5 - ☐ - ☐ = 0

↓

15 ÷ ☐ = ☐

12 - 4 - ☐ - ☐ = 0

↓

12 ÷ ☐ = ☐

□ 안에 알맞은 수를 써넣으세요.

$20-4-4-4-4-4=0 \longrightarrow 20 \div \boxed{4} = \boxed{5}$

$15-3-3-3-3-3=0 \longrightarrow 15 \div \square = \square$

$27-9-9-9=0 \longrightarrow 27 \div \square = \square$

$32-8-8-8-8=0 \longrightarrow 32 \div \square = \square$

$18-3-3-3-3-3-3=0 \longrightarrow 18 \div \square = \square$

$21-7-7-7=0 \longrightarrow 21 \div \square = \square$

□ 안에 알맞은 수를 써넣으세요.

$30-5-5-5-5-5-5=0 \longrightarrow 30 \div \boxed{5} = \boxed{6}$

$28-4-4-4-4-4-4-4=0 \longrightarrow 28 \div \Box = \Box$

$36-6-6-6-6-6-6=0 \longrightarrow 36 \div \Box = \Box$

$15-3-3-3-3-3=0 \longrightarrow 15 \div \Box = \Box$

$20-5-5-5-5=0 \longrightarrow 20 \div \Box = \Box$

$48-8-8-8-8-8-8=0 \longrightarrow 48 \div \Box = \Box$

나눗셈식 완성하기

 곱셈식을 이용하여 나눗셈의 몫을 구하세요.

구슬 6개를 2개씩 한 묶음으로 만들면 모두 몇 묶음이 될까요?

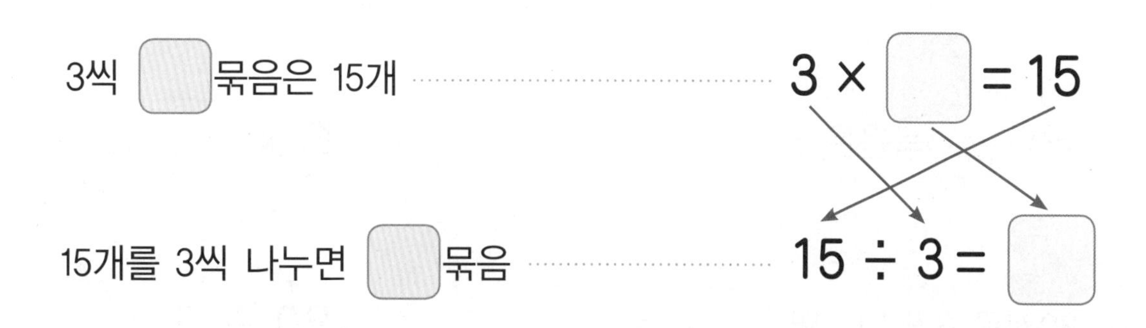

2씩 [3] 묶음은 6개 ………… 2 × [3] = 6

6개를 2씩 나누면 [3] 묶음 ………… 6 ÷ 2 = [3]

3씩 [ ] 묶음은 15개 ………… 3 × [ ] = 15

15개를 3씩 나누면 [ ] 묶음 ………… 15 ÷ 3 = [ ]

4씩 [ ] 묶음은 24개 ………… 4 × [ ] = 24

24개를 4씩 나누면 [ ] 묶음 ………… 24 ÷ 4 = [ ]

곱셈식을 이용하여 나눗셈의 몫을 구하세요.

2씩 9 묶음은 18개 ······ $2 \times 9 = 18$

18개를 2씩 나누면 9 묶음 ······ $18 \div 2 = 9$

4씩 ☐ 묶음은 32개 ······ $4 \times \square = 32$

32개를 4씩 나누면 ☐ 묶음 ······ $32 \div 4 = \square$

6씩 ☐ 묶음은 30개 ······ $6 \times \square = 30$

30개를 6씩 나누면 ☐ 묶음 ······ $30 \div 6 = \square$

5씩 ☐ 묶음은 35개 ······ $5 \times \square = 35$

35개를 5씩 나누면 ☐ 묶음 ······ $35 \div 5 = \square$

□ 안에 알맞은 수를 써넣으세요.

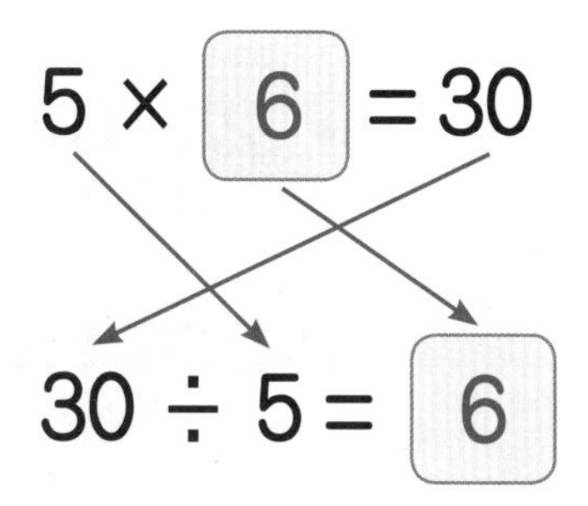

$5 \times \boxed{6} = 30$

$30 \div 5 = \boxed{6}$

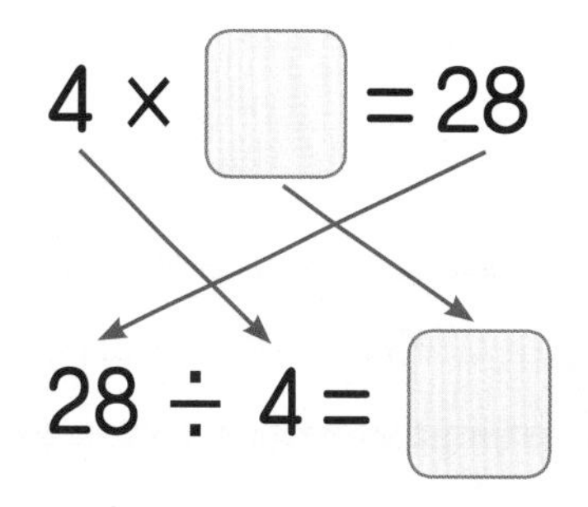

$4 \times \square = 28$

$28 \div 4 = \square$

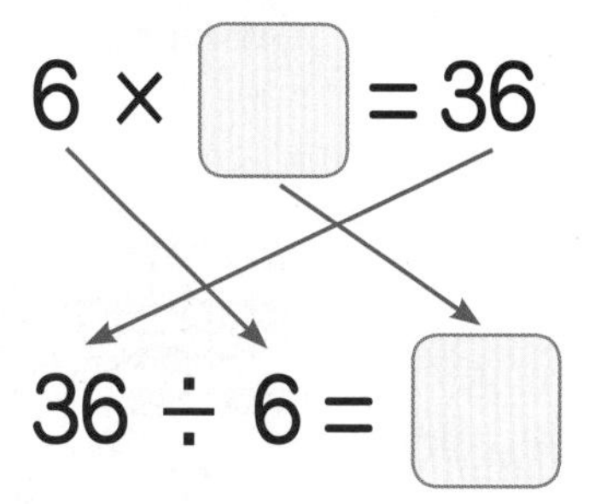

$6 \times \square = 36$

$36 \div 6 = \square$

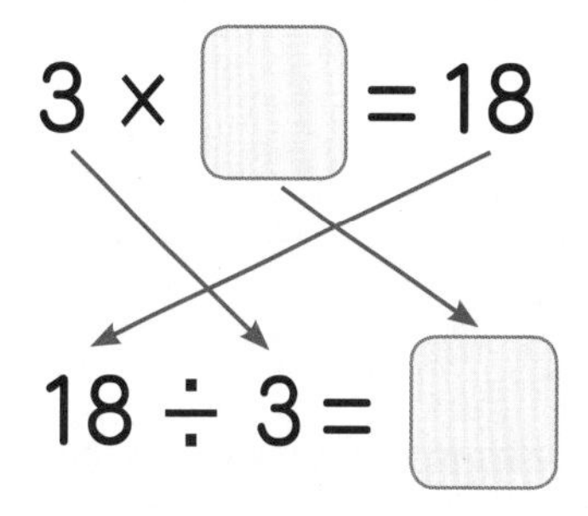

$3 \times \square = 18$

$18 \div 3 = \square$

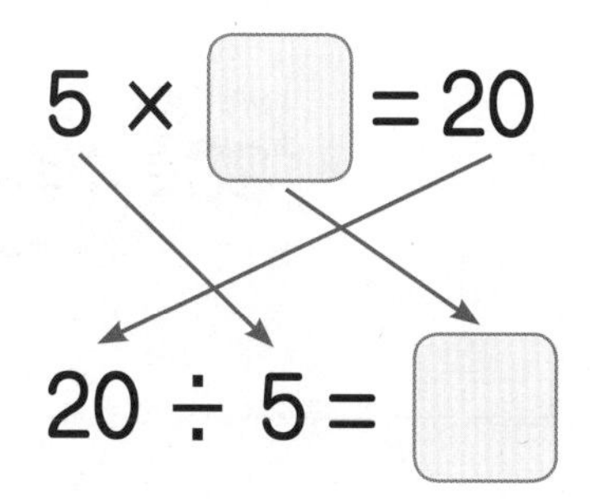

$5 \times \square = 20$

$20 \div 5 = \square$

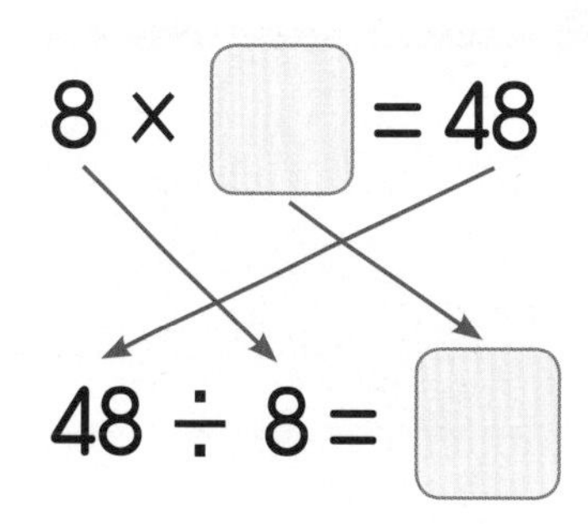

$8 \times \square = 48$

$48 \div 8 = \square$

$4 \times \square = 20$

$20 \div 4 = \square$

$9 \times \square = 27$

$27 \div 9 = \square$

나눗셈 퍼즐

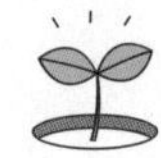 뺄셈식을 나눗셈식으로 바르게 나타낸 것을 찾아 선으로 이어 보세요.

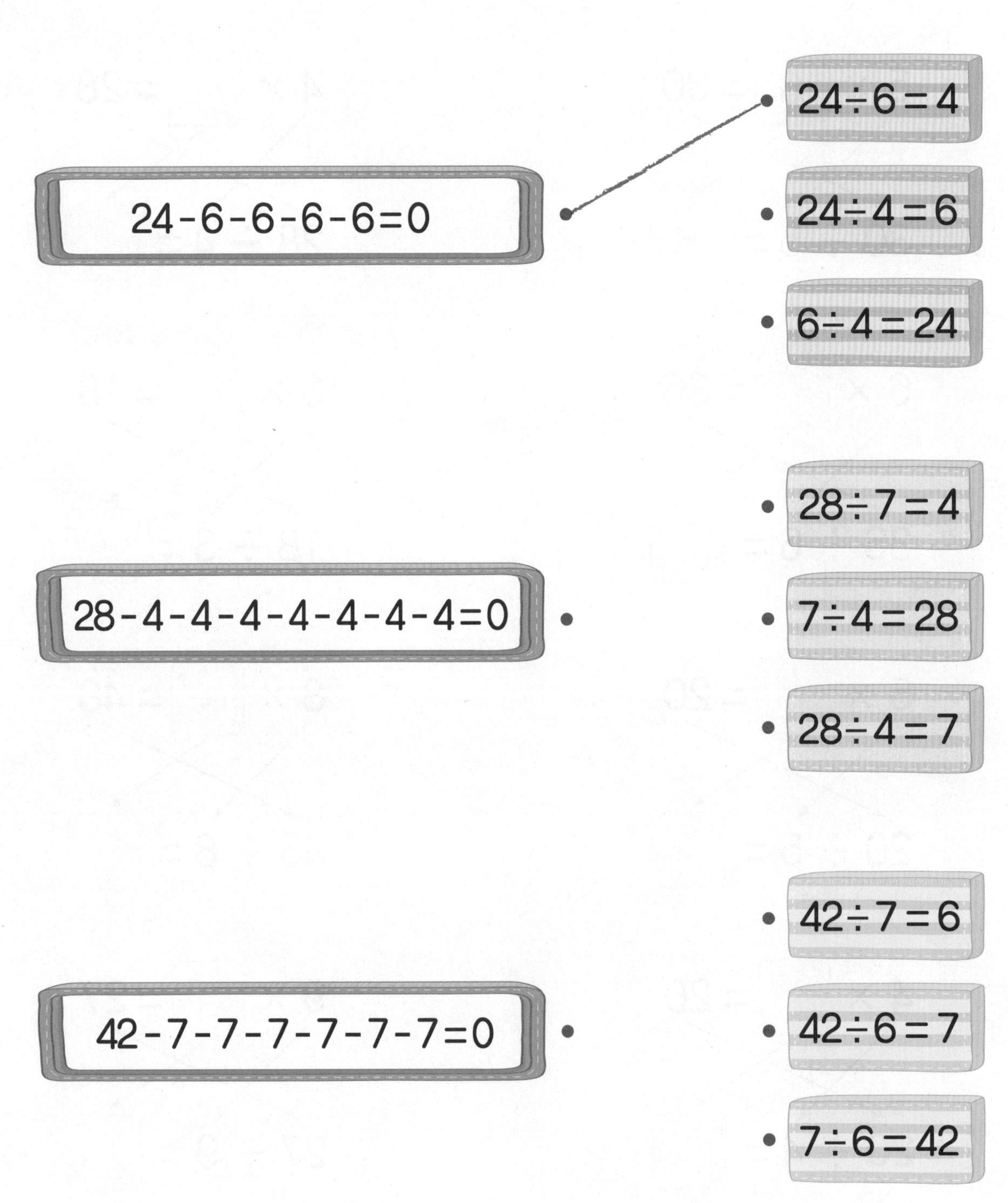

빼셈식과 관계있는 식을 찾아 길을 그려 보세요.

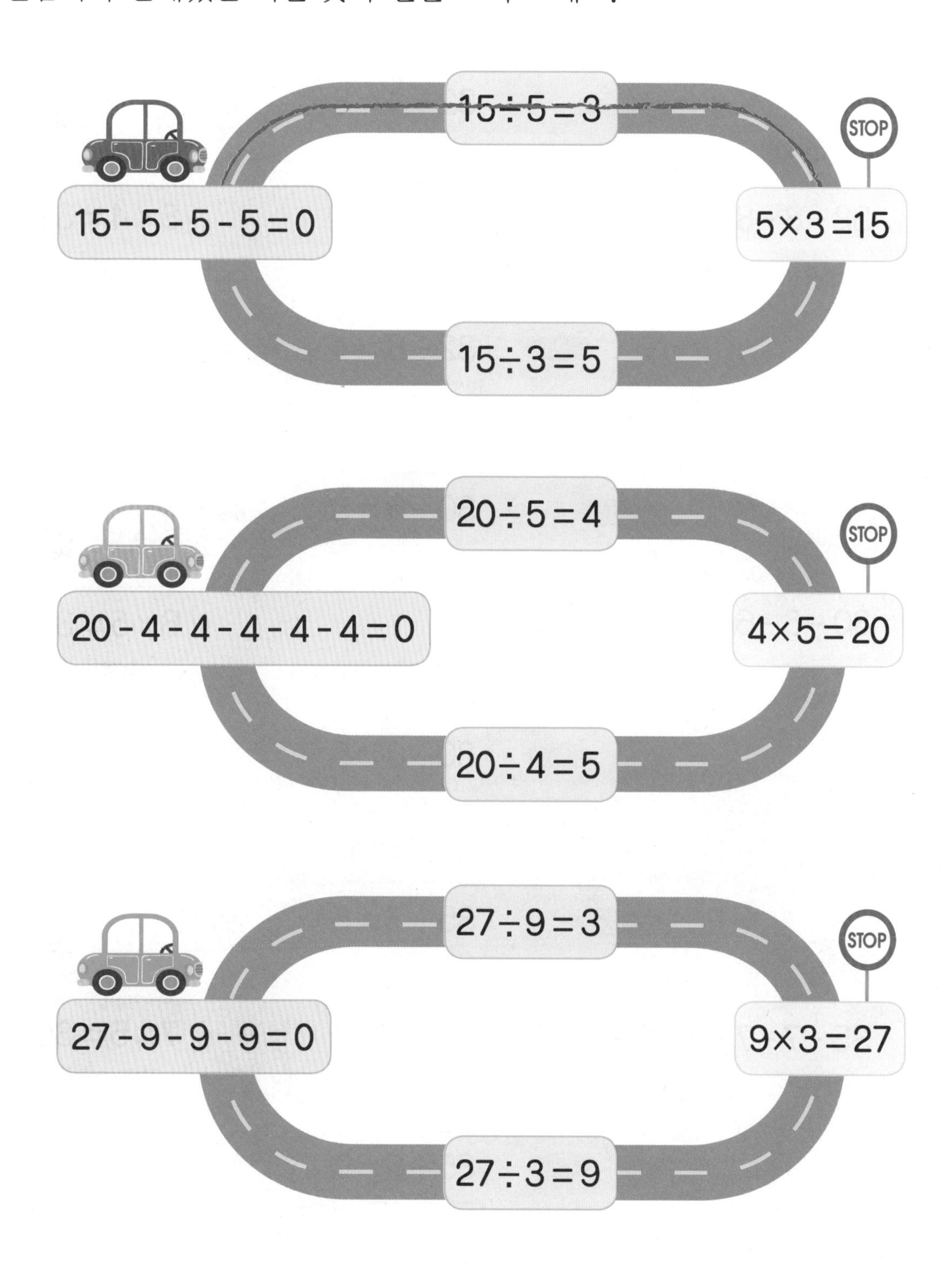

 뺄셈식과 관계있는 식을 찾아 길을 그려 보세요.

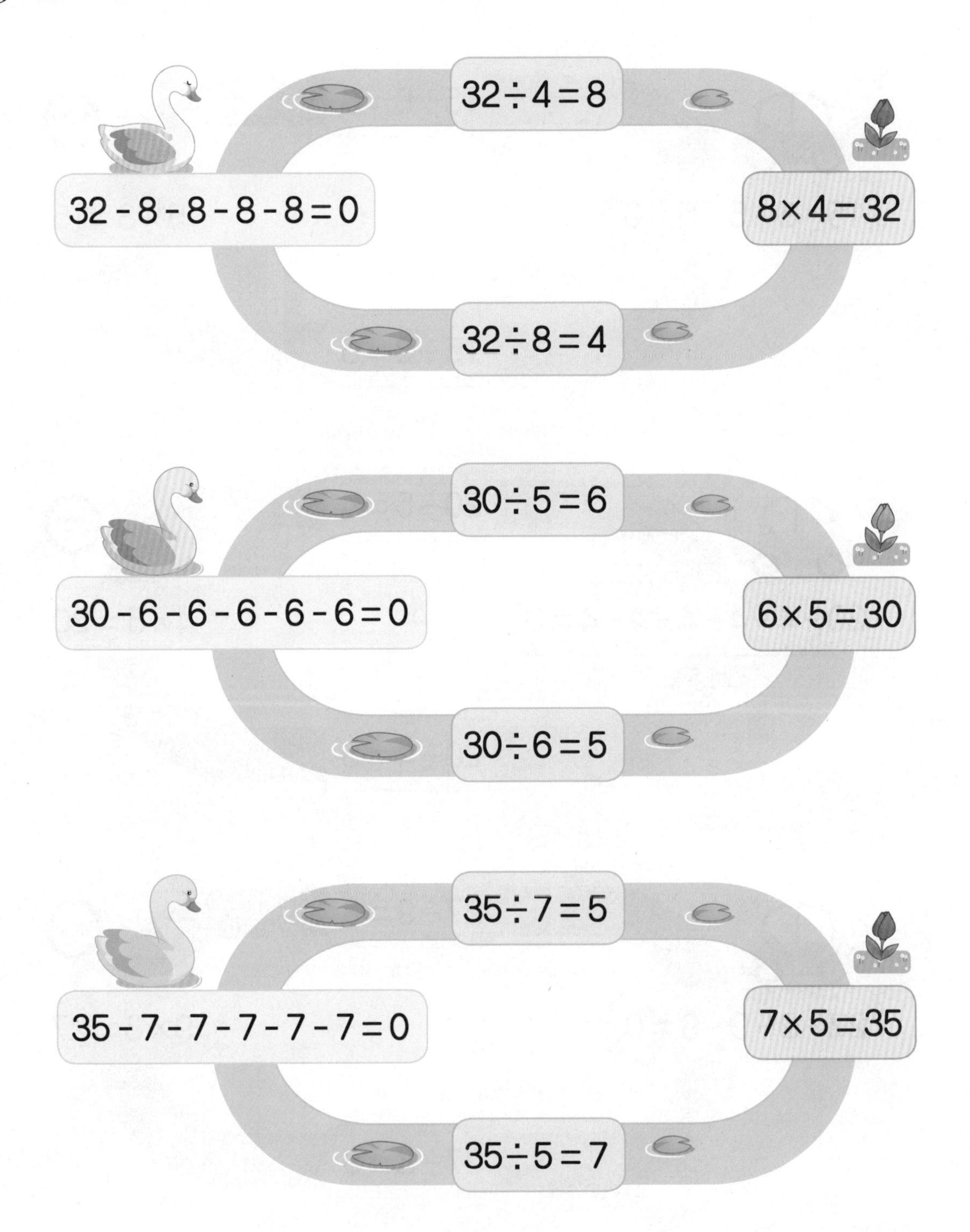

문장제

다음을 읽고 알맞은 나눗셈식을 쓰고, 답을 구하세요.

학생 12명을 3명씩 한 모둠으로 만들면 모둠은 모두 몇 개일까요?

식 : $12 \div 3 = 4$

 개

국화 20송이를 꽃병 하나에 4송이씩 꽂으려고 합니다. 꽃병 몇 개에 모두 꽂을 수 있을까요?

식 :

 개

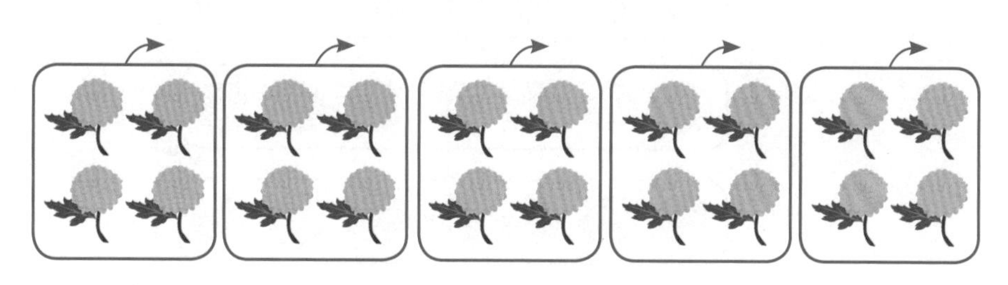

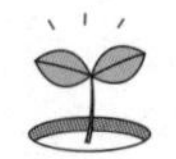 다음을 읽고 알맞은 나눗셈식을 쓰고, 답을 구하세요.

방울토마토가 24개 있습니다. 한 접시에 4개씩 담으면 모두 몇 접시가 될까요?

식 : 접시

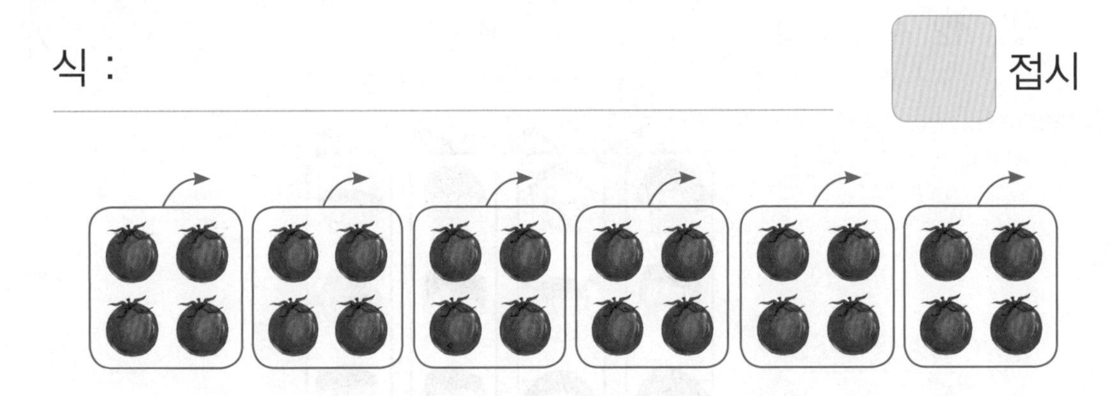

구슬 21개를 주머니에 7개씩 담았습니다. 주머니는 모두 몇 개가 될까요?

식 : 개

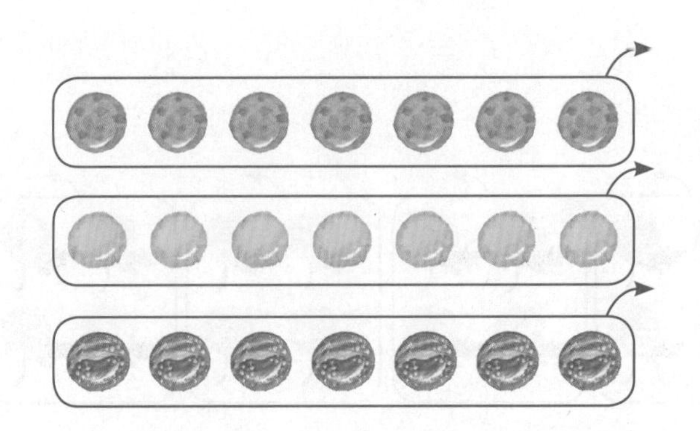

다음을 읽고 알맞은 나눗셈식을 쓰고, 답을 구하세요.

색종이 15장을 3장씩 묶었습니다. 모두 몇 묶음이 될까요?

식 : 묶음

서영이네 반 학생 30명이 견학을 가기 위해 6명씩 모둠을 만들었습니다. 모둠은 모두 몇 개일까요?

식 : 개

배구는 6명의 선수가 한 팀이 되어 경기를 합니다. 배구 선수 36명으로 배구팀을 만들면 몇 팀을 만들 수 있을까요?

식 :

팀

다음을 읽고 알맞은 나눗셈식을 쓰고, 답을 구하세요.

채영이는 화분에 팬지 18송이를 심으려고 합니다. 한 화분에 3송이씩 심는다면 화분 몇 개에 꽃을 심을 수 있을까요?

식 :

□ 개

은진이는 친구들과 나누어 먹을 떡 21개를 한 봉지에 3개씩 포장하려고 합니다. 모두 몇 봉지에 담을 수 있을까요?

식 :

□ 봉지

야구공 32개를 한 상자에 8개씩 담으려고 합니다. 모두 몇 상자에 담을 수 있을까요?

식 :

□ 상자

소마셈 B7 – 2주차

똑같게 나누기

똑같게 나누기

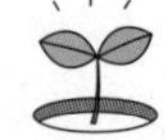 하나씩 나누어 가지면서 한 곳에 몇 개씩인지 알아보세요.

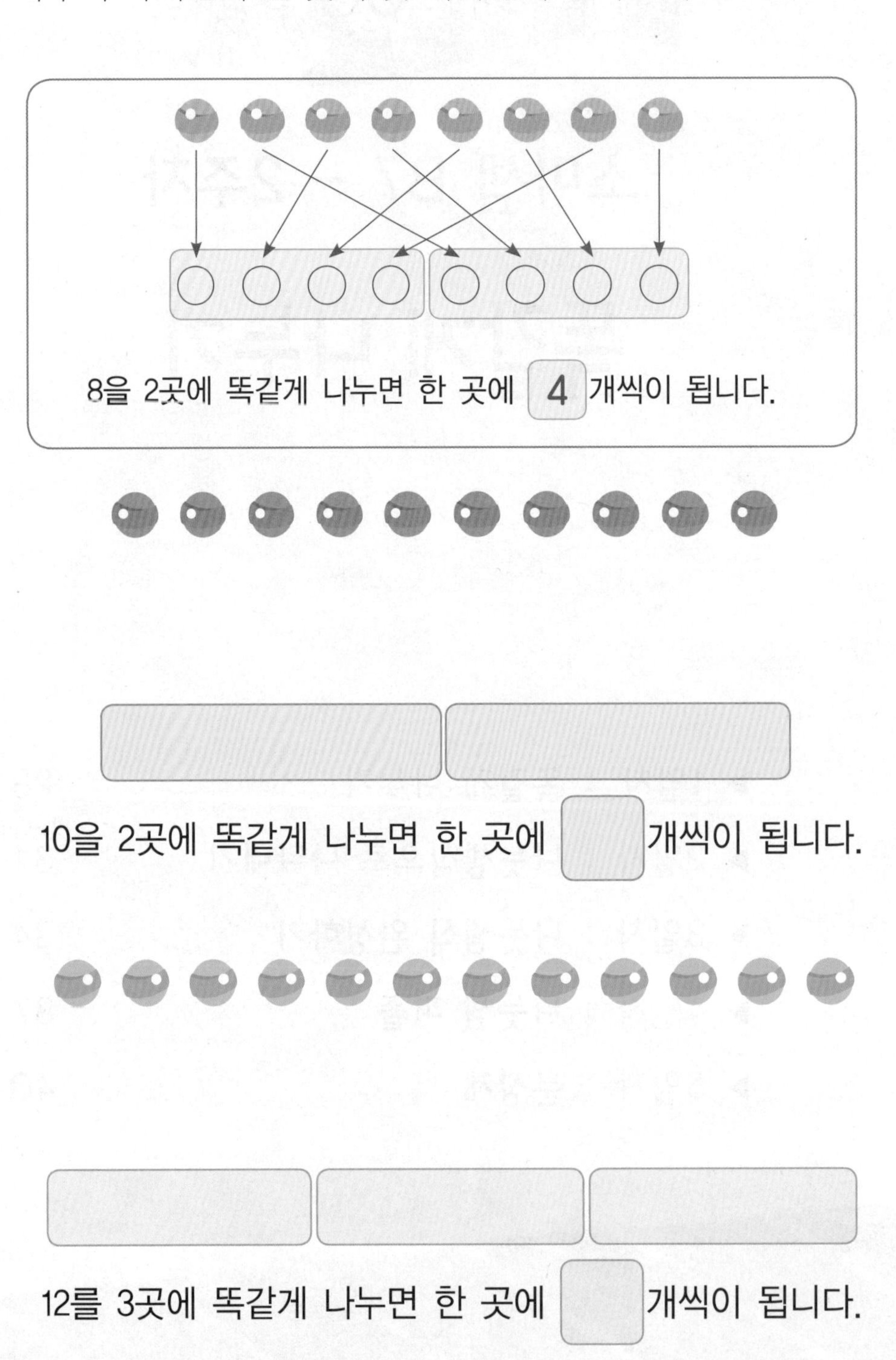

10을 2곳에 똑같게 나누면 한 곳에 ☐ 개씩이 됩니다.

12를 3곳에 똑같게 나누면 한 곳에 ☐ 개씩이 됩니다.

 하나씩 나누어 가지면서 한 곳에 몇 개씩인지 알아보세요.

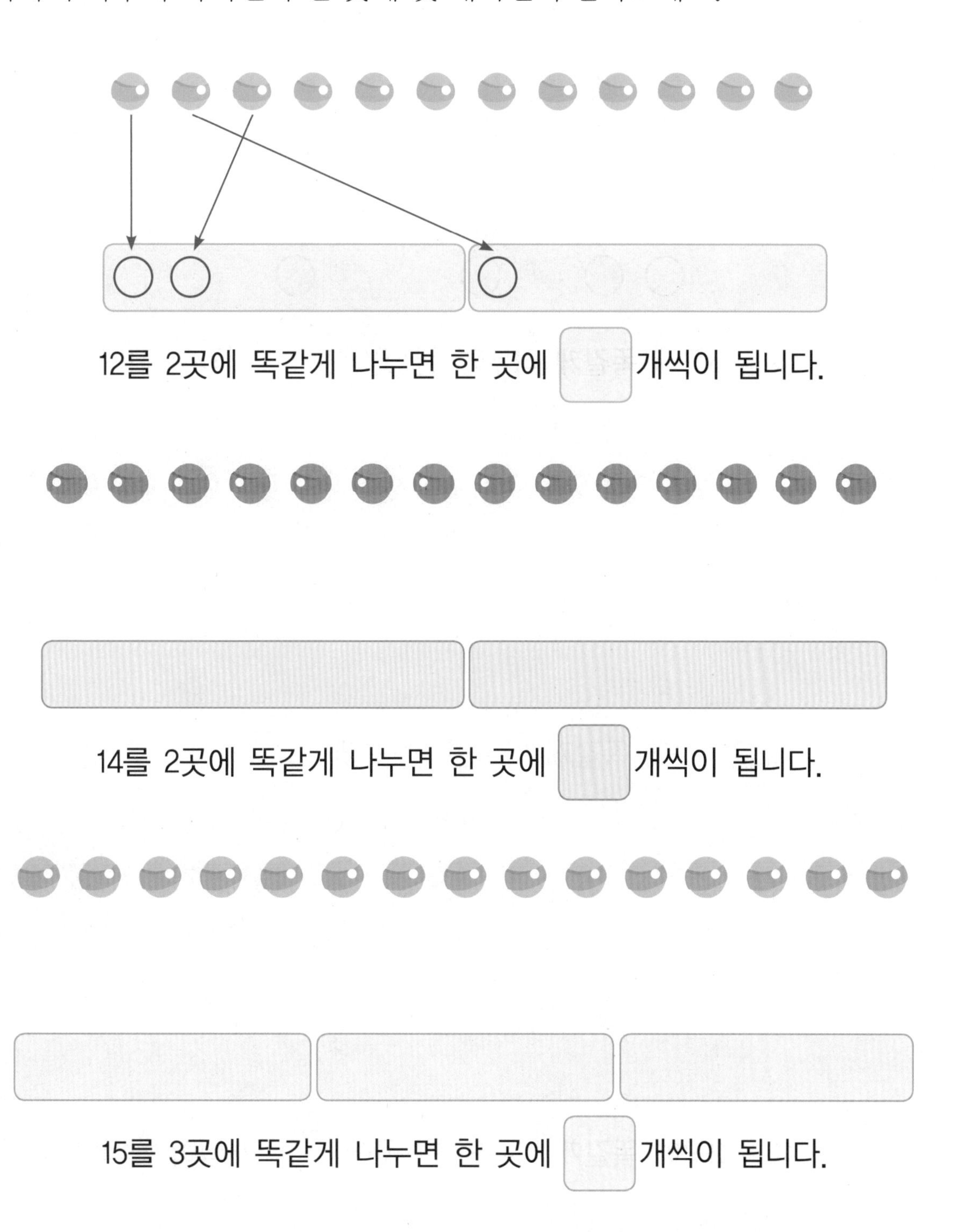

12를 2곳에 똑같게 나누면 한 곳에 ☐ 개씩이 됩니다.

14를 2곳에 똑같게 나누면 한 곳에 ☐ 개씩이 됩니다.

15를 3곳에 똑같게 나누면 한 곳에 ☐ 개씩이 됩니다.

하나씩 나누어 가지면서 한 곳에 몇 개씩인지 알아보세요.

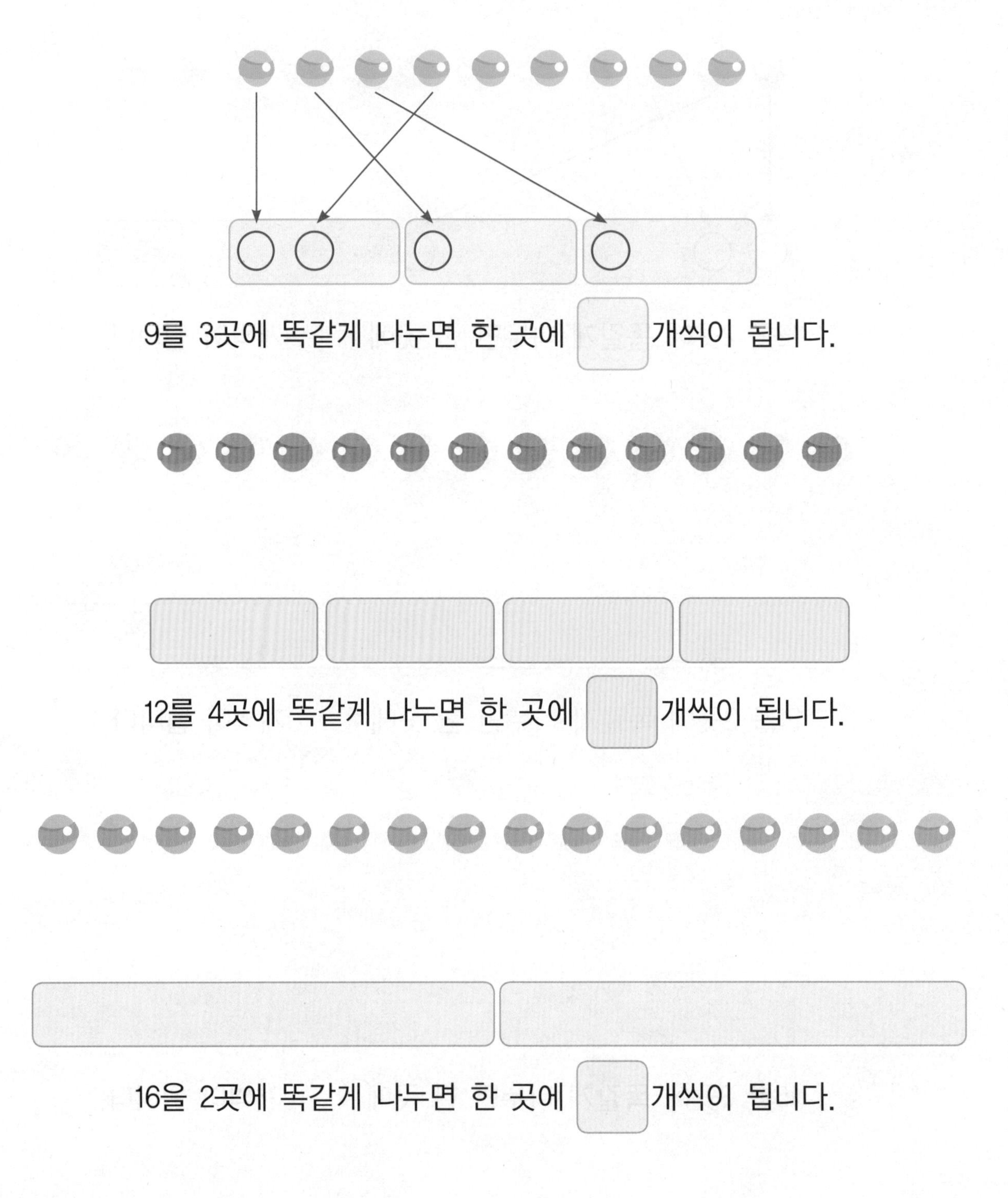

9를 3곳에 똑같게 나누면 한 곳에 ☐ 개씩이 됩니다.

12를 4곳에 똑같게 나누면 한 곳에 ☐ 개씩이 됩니다.

16을 2곳에 똑같게 나누면 한 곳에 ☐ 개씩이 됩니다.

나눗셈식으로 나타내기

 그림을 보고 □ 안에 알맞은 수를 써넣으세요.

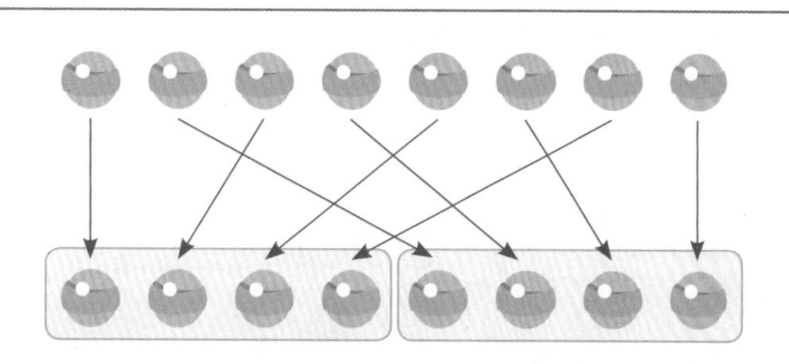

8을 2곳에 똑같게 나누면 한 곳에 [4] 개씩이 됩니다.

➡ 8 ÷ [2] = [4]

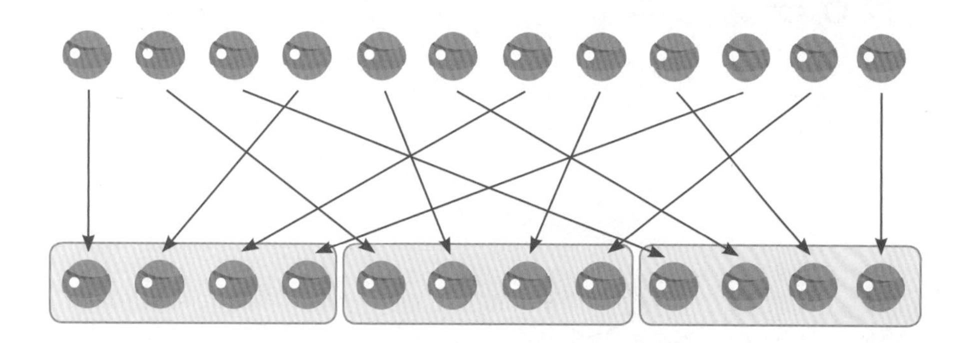

12를 3곳에 똑같게 나누면 한 곳에 [ ] 개씩이 됩니다.

➡ 12 ÷ [ ] = [ ]

똑같게 나누는 나눗셈식에서는 몫이 개수를 나타냅니다.

8÷2=4 → 8을 똑같이 2곳으로 나누면 한 곳에 4개씩이 됩니다.

그림을 보고 □ 안에 알맞은 수를 써넣으세요.

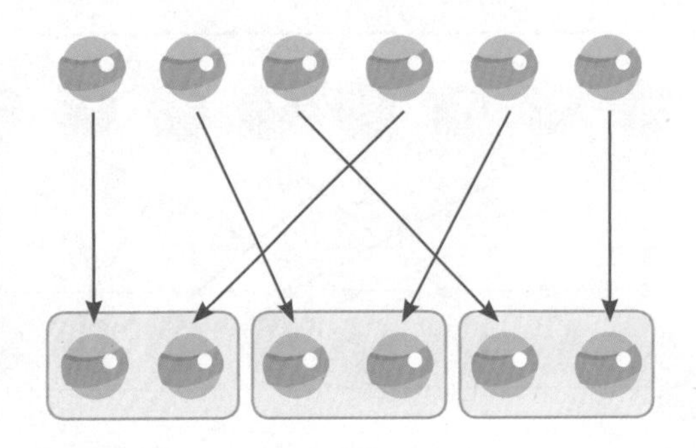

6을 3곳에 똑같게 나누면 한 곳에 □ 개씩이 됩니다.

➡ 6 ÷ □ = □

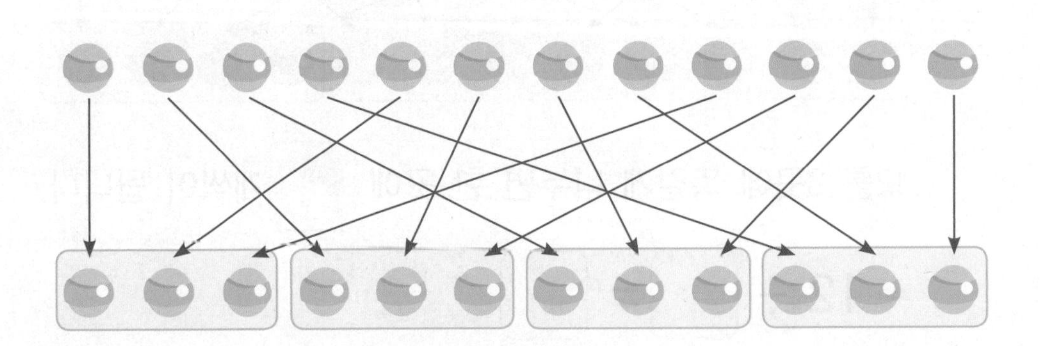

12를 4곳에 똑같게 나누면 한 곳에 □ 개씩이 됩니다.

➡ 12 ÷ □ = □

□ 안에 알맞은 수를 써넣으세요.

18 ÷ 2 = [9]

➡ [18]을 [2] 곳에 똑같게 나누면 한 곳에 [9] 개씩이 됩니다.

12 ÷ 2 = [ ]

➡ [ ]를 [ ]곳에 똑같게 나누면 한 곳에 [ ]개씩이 됩니다.

24 ÷ 6 = [ ]

➡ [ ]를 [ ]곳에 똑같게 나누면 한 곳에 [ ]개씩이 됩니다.

32 ÷ 4 = [ ]

➡ [ ]를 [ ]곳에 똑같게 나누면 한 곳에 [ ]개씩이 됩니다.

36 ÷ 9 = [ ]

➡ [ ]을 [ ]곳에 똑같게 나누면 한 곳에 [ ]개씩이 됩니다.

나눗셈식 완성하기

곱셈식을 이용하여 나눗셈의 몫을 구하세요.

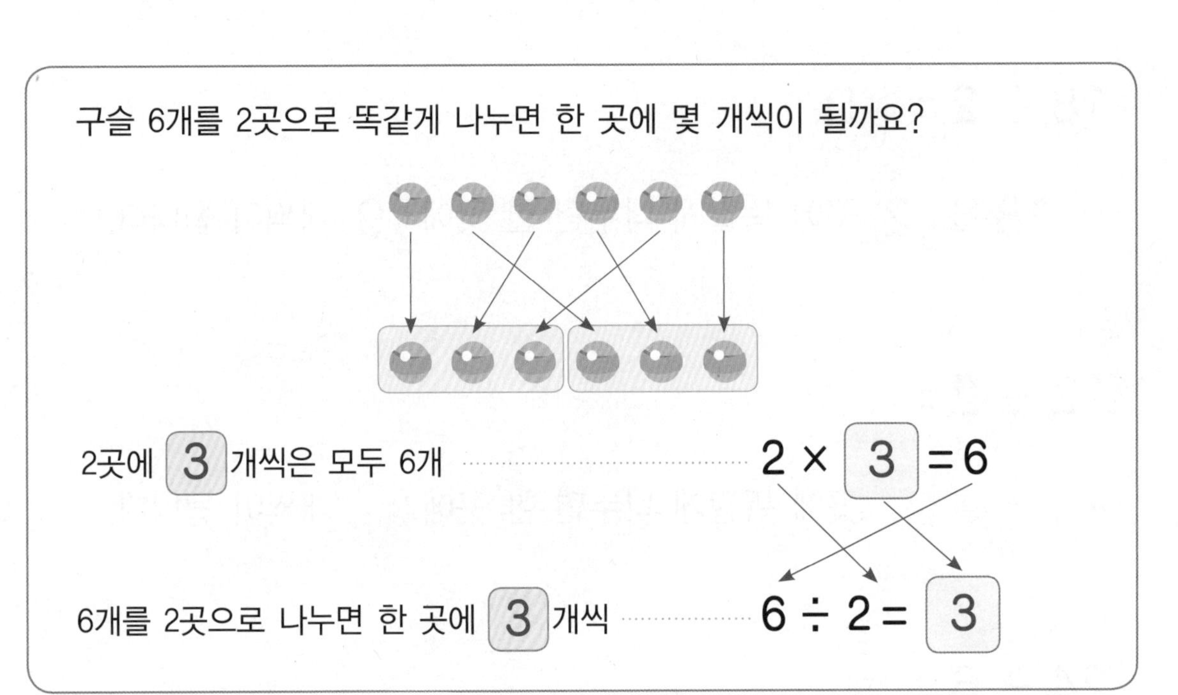

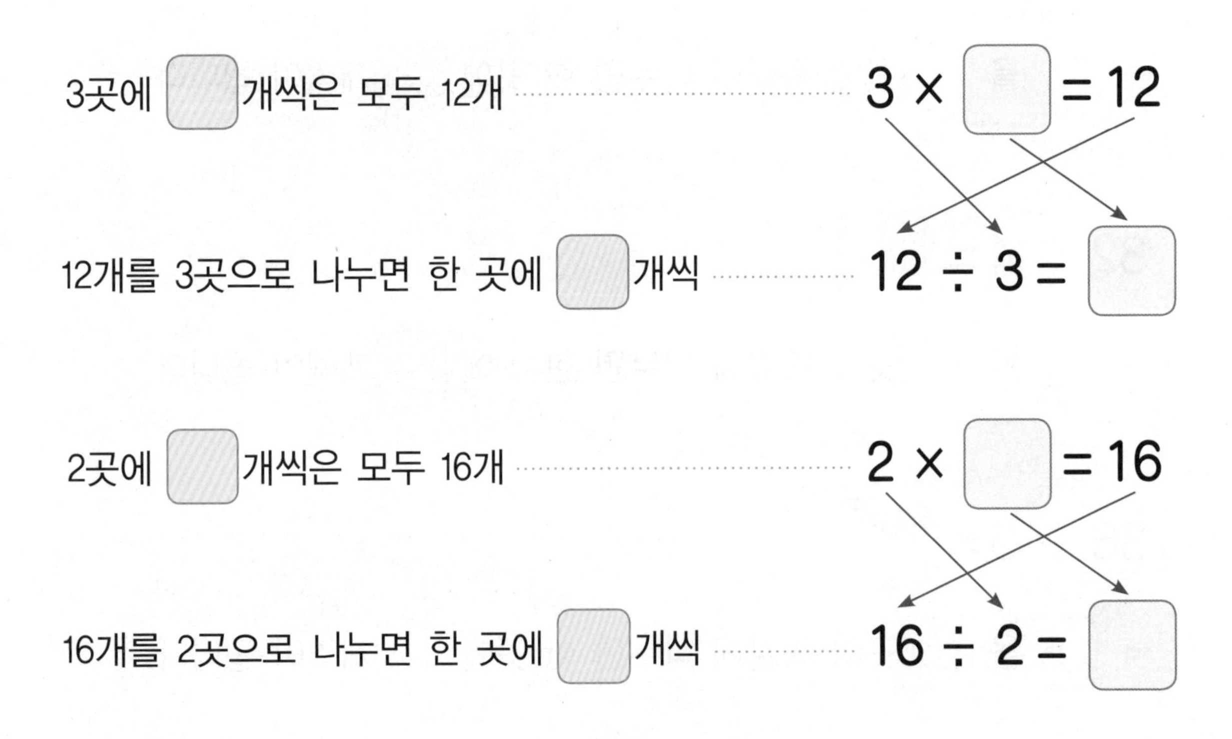

곱셈식을 이용하여 나눗셈의 몫을 구하세요.

3곳에 □개씩은 모두 21개 ········ $3 \times \square = 21$

21개를 3곳으로 나누면 한 곳에 □개씩 ········ $21 \div 3 = \square$

5곳에 □개씩은 모두 30개 ········ $5 \times \square = 30$

30개를 5곳으로 나누면 한 곳에 □개씩 ········ $30 \div 5 = \square$

4곳에 □개씩은 모두 28개 ········ $4 \times \square = 28$

28개를 4곳으로 나누면 한 곳에 □개씩 ········ $28 \div 4 = \square$

6곳에 □개씩은 모두 24개 ········ $6 \times \square = 24$

24개를 6곳으로 나누면 한 곳에 □개씩 ········ $24 \div 6 = \square$

 □ 안에 알맞은 수를 써넣으세요.

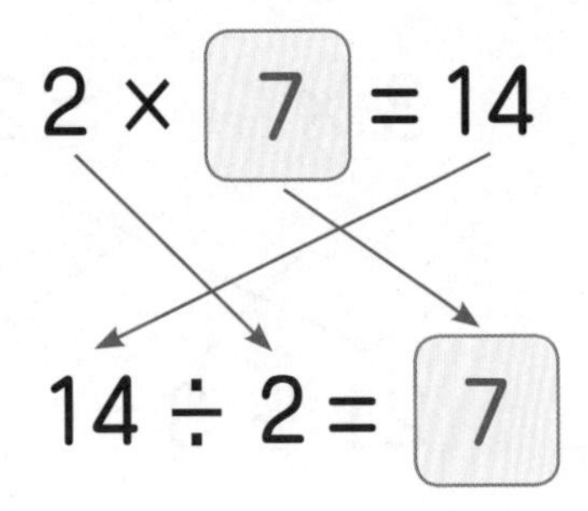

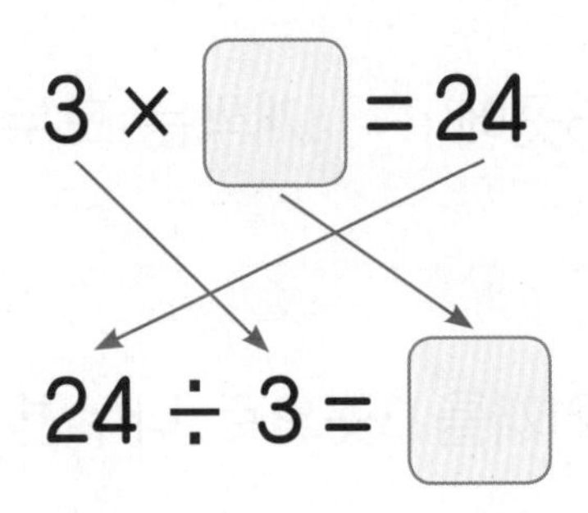

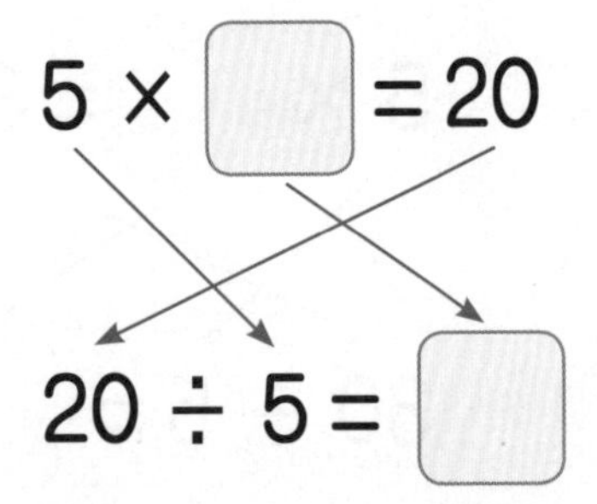

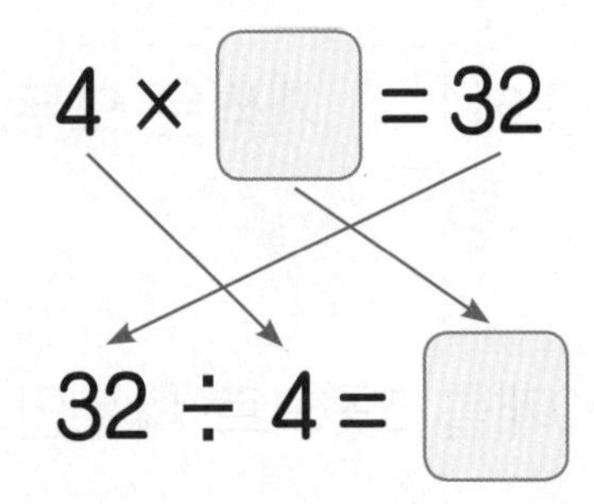

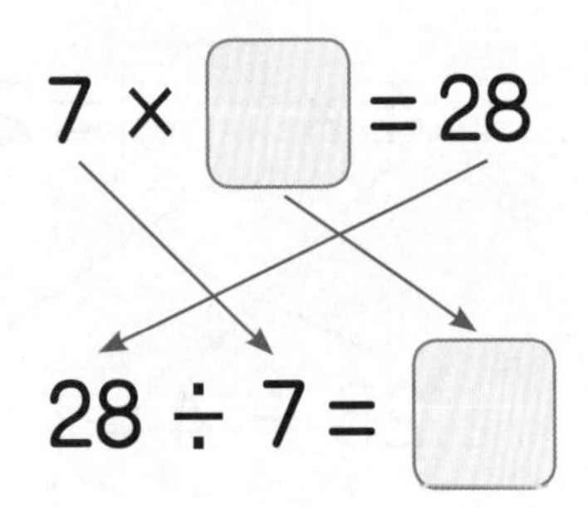

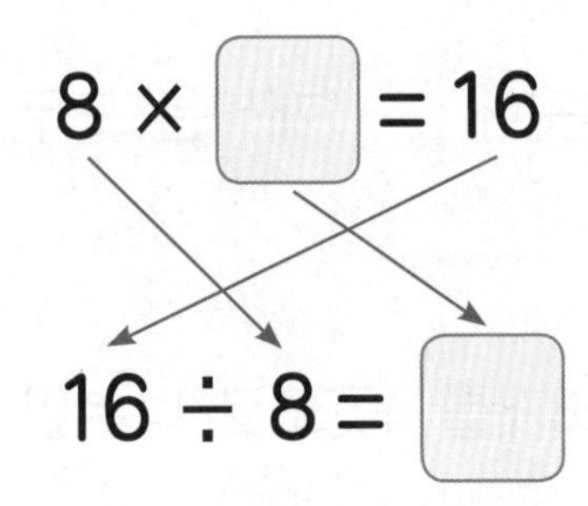

9 × □ = 45

45 ÷ 9 = □

6 × □ = 30

30 ÷ 6 = □

나눗셈 퍼즐

계산 결과가 같은 것끼리 선으로 이어보세요.

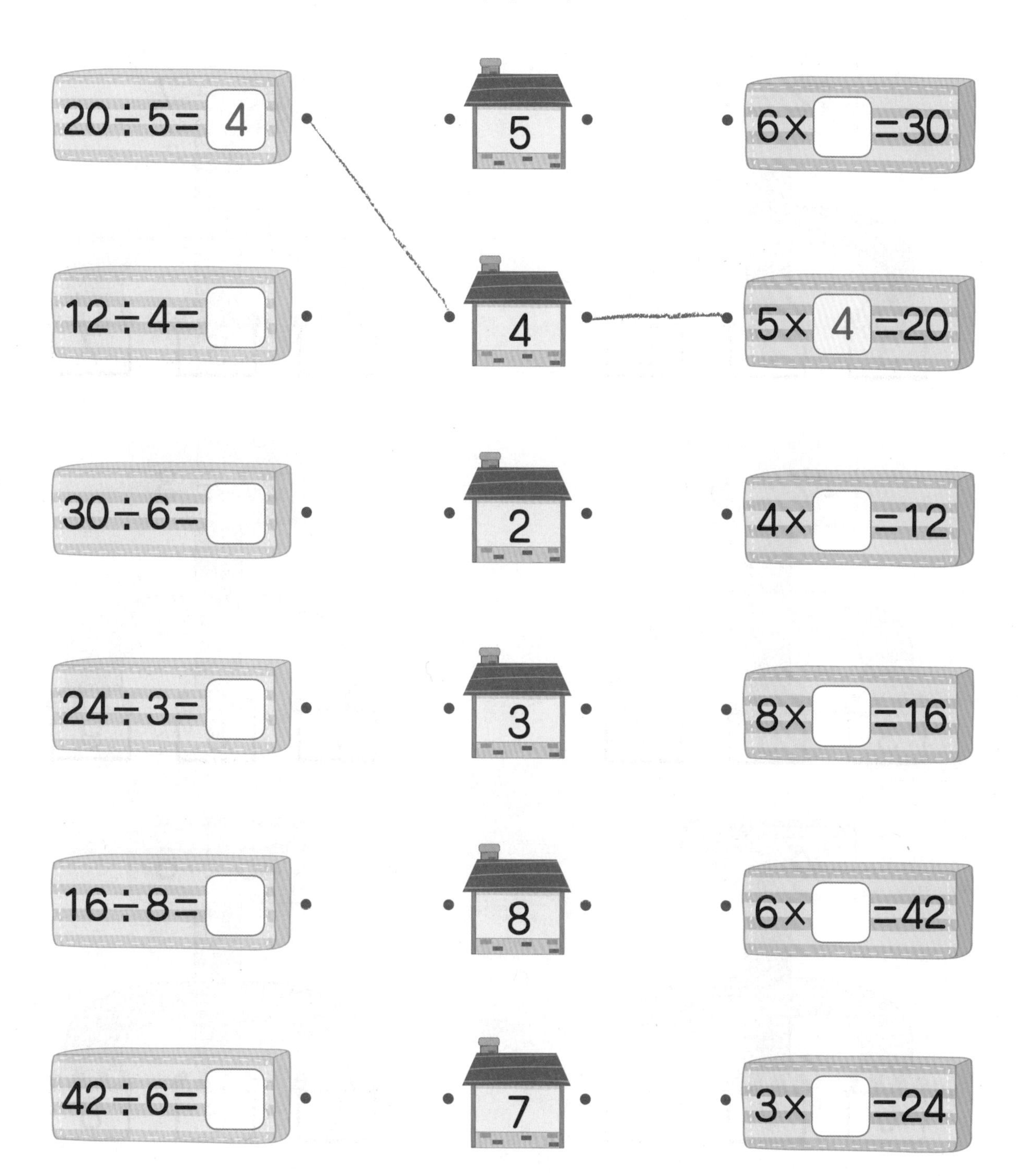

올바른 계산 결과가 되도록 길을 그려 보세요.

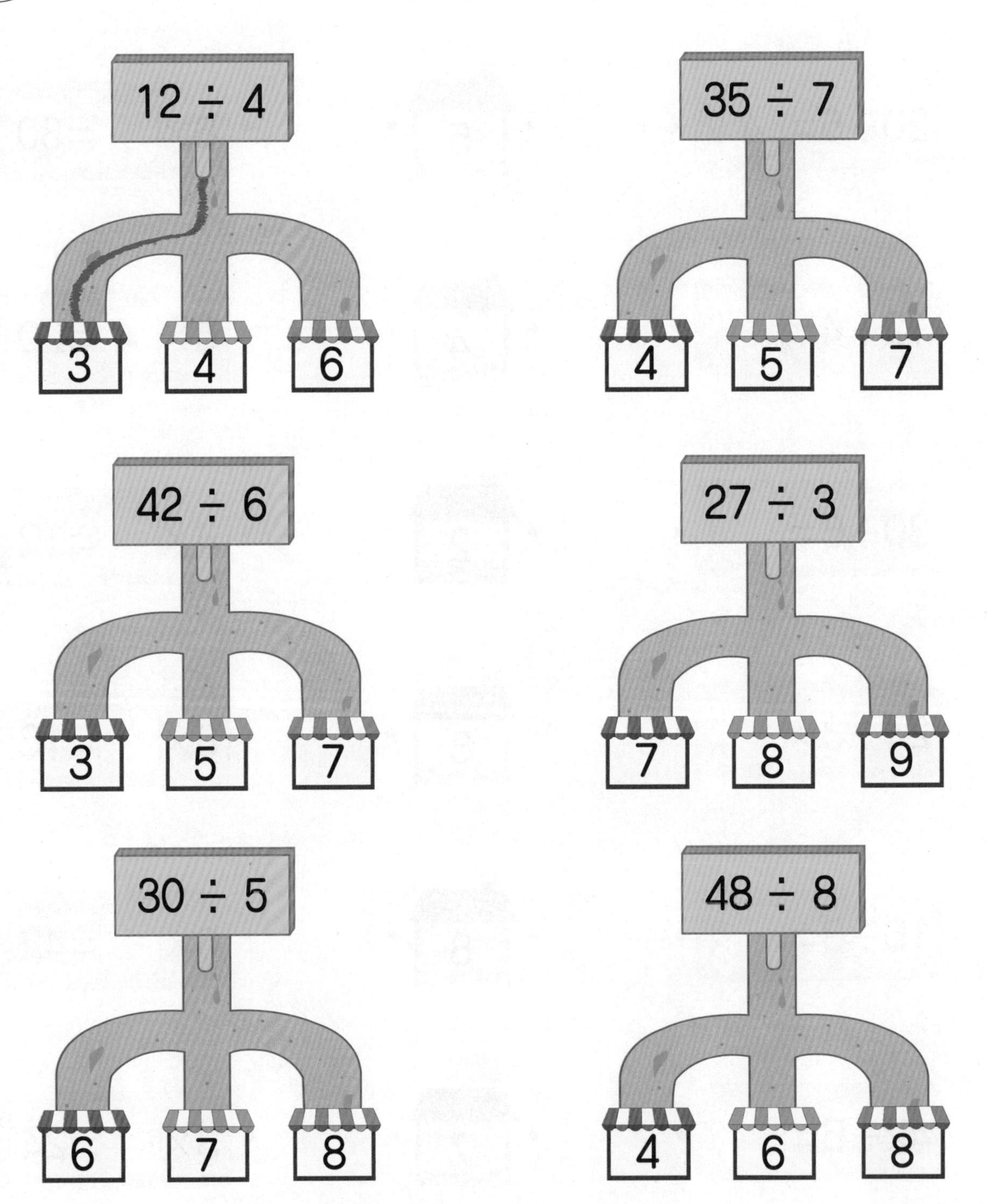

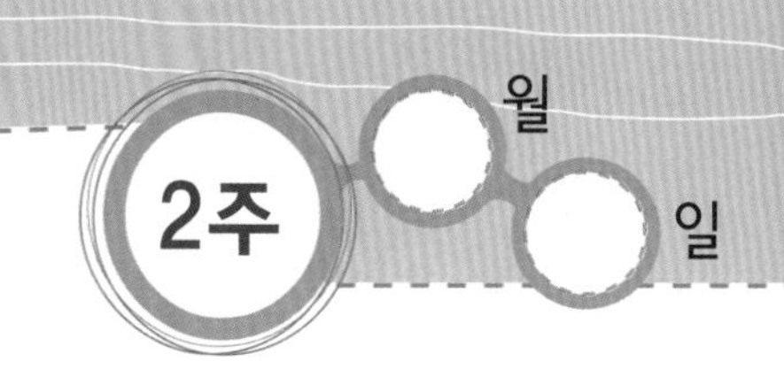

올바른 계산 결과가 되도록 길을 그려 보세요.

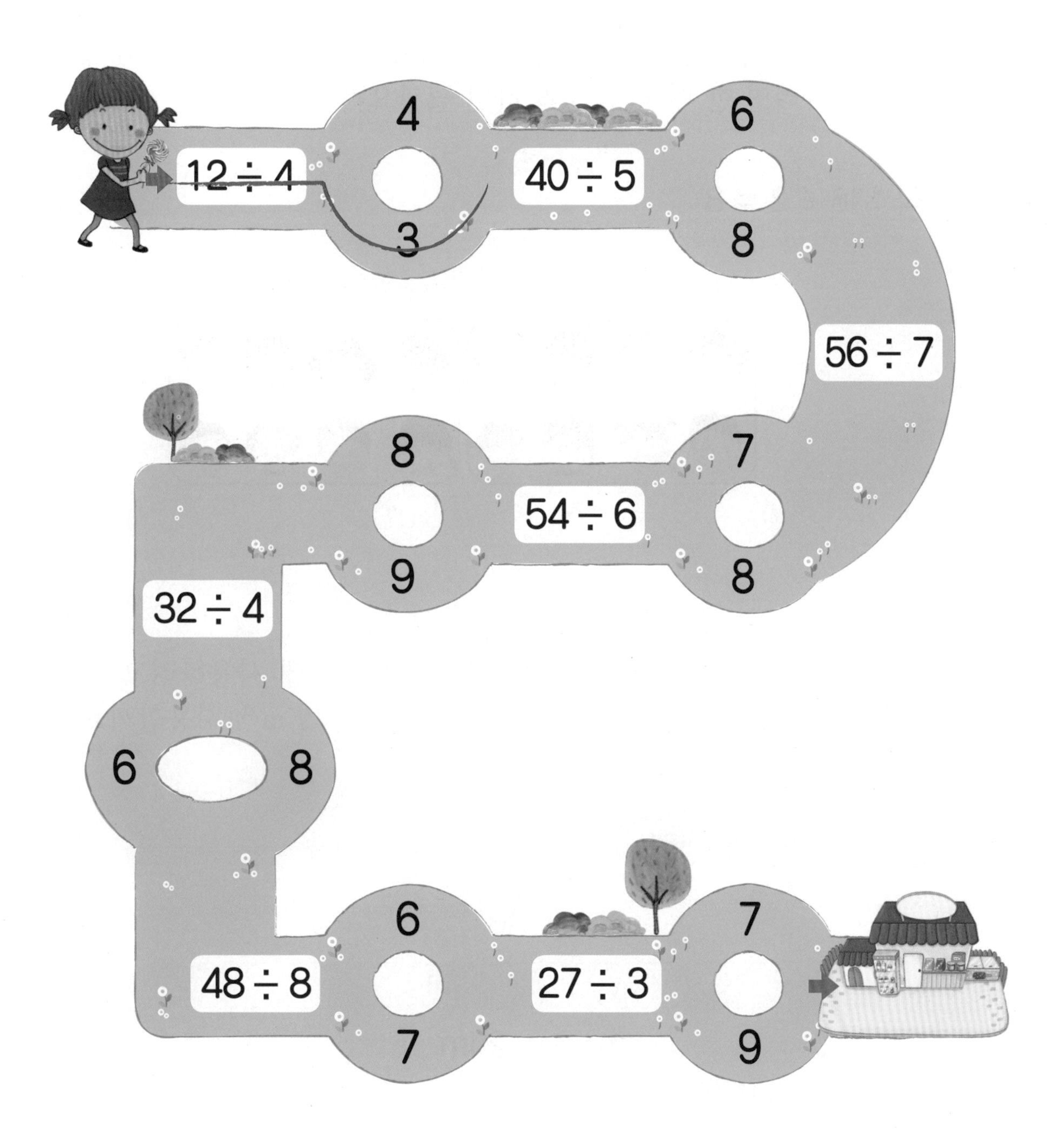

문장제

다음을 읽고 알맞은 나눗셈식을 쓰고, 답을 구하세요.

세민이네 반 학생 16명이 체험 학습을 가려고 합니다. 승합차 2대에 똑같게 나누어 타려면 한 대에 몇 명씩 타면 될까요?

식 : 16 ÷ 2 = 8

 명

정현이는 길이가 24m인 리본을 선물을 포장하는 데 사용하려고 합니다. 포장해야 할 선물이 6개라면 한 개를 포장하는 데 몇 m씩 사용할까요?

식 :

m

24m

 다음을 읽고 알맞은 나눗셈식을 쓰고, 답을 구하세요.

스티커 21개를 도화지 3장에 똑같게 나누어 붙이려고 합니다. 도화지 한 장에 스티커를 몇 개씩 붙이면 될까요?

식 :

 개

동화책 14권을 책꽂이 7칸에 똑같게 나누어 꽂으려고 합니다. 책꽂이 한 칸에는 몇 권씩 꽂아야 할까요?

식 :

 권

다음을 읽고 알맞은 나눗셈식을 쓰고, 답을 구하세요.

연필 18자루를 친구 3명에게 똑같게 나누어 주려고 합니다. 친구 한 명에게 연필을 몇 자루씩 나누어 줄 수 있을까요?

식 : ______ □ 자루

수현이는 풍선 42개를 가지고 있습니다. 친구 7명에게 똑같게 나누어 준다면 몇 개씩 나누어 줄 수 있을까요?

식 : ______ □ 개

지윤이는 구슬 24개를 3개의 주머니에 똑같게 나누어 담으려고 합니다. 주머니 한 개에 담긴 구슬은 몇 개일까요?

식 : ______ □ 개

 다음을 읽고 알맞은 나눗셈식을 쓰고, 답을 구하세요.

준형이는 35쪽짜리 수학문제집을 매일 같은 쪽수로 5일 동안 모두 풀려고 합니다. 하루에 몇 쪽씩 풀어야 할까요?

식 : 　　　　　　　　　　　　　　　　　　　　　　　　 쪽

길이가 27cm인 철사를 모두 이용하여 크기가 같은 정사각형 3개를 만들려고 합니다. 정사각형 한 개를 만드는데 몇 cm의 철사가 필요할까요?

식 : 　　　　　　　　　　　　　　　　　　　　　　　　 cm

희주는 사탕 32개를 가지고 있습니다. 친구 4명에게 똑같게 나누어 준다면 몇 개씩 나누어 줄 수 있을까요?

식 : 　　　　　　　　　　　　　　　　　　　　　　　　 개

Note

소마셈 B7 - 3주차

나눗셈구구

2의 단, 4의 단

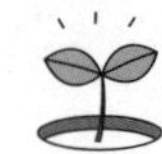 곱셈구구를 이용하여 2의 단 나눗셈을 해 보세요.

$2 \div 2 = $ 1	$2 \times$ 1 $= 2$
$4 \div 2 = $ ☐	$2 \times$ ☐ $= 4$
$6 \div 2 = $ ☐	$2 \times$ ☐ $= 6$
$8 \div 2 = $ ☐	$2 \times$ ☐ $= 8$
$10 \div 2 = $ ☐	$2 \times$ ☐ $= 10$
$12 \div 2 = $ ☐	$2 \times$ ☐ $= 12$
$14 \div 2 = $ ☐	$2 \times$ ☐ $= 14$
$16 \div 2 = $ ☐	$2 \times$ ☐ $= 16$
$18 \div 2 = $ ☐	$2 \times$ ☐ $= 18$

곱셈구구를 이용하여 4의 단 나눗셈을 해 보세요.

$4 \div 4 = \boxed{1}$	$4 \times \boxed{1} = 4$
$8 \div 4 = \square$	$4 \times \square = 8$
$12 \div 4 = \square$	$4 \times \square = 12$
$16 \div 4 = \square$	$4 \times \square = 16$
$20 \div 4 = \square$	$4 \times \square = 20$
$24 \div 4 = \square$	$4 \times \square = 24$
$28 \div 4 = \square$	$4 \times \square = 28$
$32 \div 4 = \square$	$4 \times \square = 32$
$36 \div 4 = \square$	$4 \times \square = 36$

□ 안에 알맞은 수를 써넣으세요.

$2 \times \boxed{4} = 8$

$8 \div 2 = \boxed{4}$

$4 \times \square = 20$

$20 \div 4 = \square$

$14 \div 2 = \square$

$18 \div 2 = \square$

$12 \div 4 = \square$

$28 \div 4 = \square$

$10 \div 2 = \square$

$16 \div 2 = \square$

$24 \div 4 = \square$

$32 \div 4 = \square$

$16 \div 4 = \square$

$36 \div 4 = \square$

5의 단, 9의 단

곱셈구구를 이용하여 5의 단 나눗셈을 해 보세요.

5 ÷ 5 = 1	5 × 1 = 5
10 ÷ 5 = □	5 × □ = 10
15 ÷ 5 = □	5 × □ = 15
20 ÷ 5 = □	5 × □ = 20
25 ÷ 5 = □	5 × □ = 25
30 ÷ 5 = □	5 × □ = 30
35 ÷ 5 = □	5 × □ = 35
40 ÷ 5 = □	5 × □ = 40
45 ÷ 5 = □	5 × □ = 45

곱셈구구를 이용하여 9의 단 나눗셈을 해 보세요.

$9 \div 9 = \boxed{1}$	$9 \times \boxed{1} = 9$
$18 \div 9 = \square$	$9 \times \square = 18$
$27 \div 9 = \square$	$9 \times \square = 27$
$36 \div 9 = \square$	$9 \times \square = 36$
$45 \div 9 = \square$	$9 \times \square = 45$
$54 \div 9 = \square$	$9 \times \square = 54$
$63 \div 9 = \square$	$9 \times \square = 63$
$72 \div 9 = \square$	$9 \times \square = 72$
$81 \div 9 = \square$	$9 \times \square = 81$

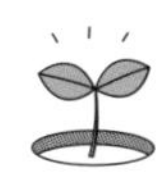
□ 안에 알맞은 수를 써넣으세요.

$5\times\boxed{3}=15$

$15 \div 5 = \boxed{3}$

$9\times\boxed{}=27$

$27 \div 9 = \boxed{}$

$18 \div 9 = \boxed{}$

$35 \div 5 = \boxed{}$

$40 \div 5 = \boxed{}$

$54 \div 9 = \boxed{}$

$45 \div 9 = \boxed{}$

$25 \div 5 = \boxed{}$

$63 \div 9 = \boxed{}$

$72 \div 9 = \boxed{}$

$40 \div 5 = \boxed{}$

$81 \div 9 = \boxed{}$

3의 단, 6의 단

곱셈구구를 이용하여 3의 단 나눗셈을 해 보세요.

$3 \div 3 = \boxed{1}$	$3 \times \boxed{1} = 3$
$6 \div 3 = \square$	$3 \times \square = 6$
$9 \div 3 = \square$	$3 \times \square = 9$
$12 \div 3 = \square$	$3 \times \square = 12$
$15 \div 3 = \square$	$3 \times \square = 15$
$18 \div 3 = \square$	$3 \times \square = 18$
$21 \div 3 = \square$	$3 \times \square = 21$
$24 \div 3 = \square$	$3 \times \square = 24$
$27 \div 3 = \square$	$3 \times \square = 27$

곱셈구구를 이용하여 6의 단 나눗셈을 해 보세요.

$6 \div 6 = \boxed{1}$	$6 \times \boxed{1} = 6$
$12 \div 6 = \square$	$6 \times \square = 12$
$18 \div 6 = \square$	$6 \times \square = 18$
$24 \div 6 = \square$	$6 \times \square = 24$
$30 \div 6 = \square$	$6 \times \square = 30$
$36 \div 6 = \square$	$6 \times \square = 36$
$42 \div 6 = \square$	$6 \times \square = 42$
$48 \div 6 = \square$	$6 \times \square = 48$
$54 \div 6 = \square$	$6 \times \square = 54$

□ 안에 알맞은 수를 써넣으세요.

$3 \times \boxed{6} = 18$

$18 \div 3 = \boxed{6}$

$6 \times \square = 30$

$30 \div 6 = \square$

$24 \div 6 = \square$

$12 \div 3 = \square$

$36 \div 6 = \square$

$24 \div 3 = \square$

$15 \div 3 = \square$

$48 \div 6 = \square$

$54 \div 6 = \square$

$27 \div 3 = \square$

$18 \div 6 = \square$

$42 \div 6 = \square$

7의 단, 8의 단

 곱셈구구를 이용하여 7의 단 나눗셈을 해 보세요.

$7 \div 7 = $ 1	$7 \times$ 1 $= 7$
$14 \div 7 = \square$	$7 \times \square = 14$
$21 \div 7 = \square$	$7 \times \square = 21$
$28 \div 7 = \square$	$7 \times \square = 28$
$35 \div 7 = \square$	$7 \times \square = 35$
$42 \div 7 = \square$	$7 \times \square = 42$
$49 \div 7 = \square$	$7 \times \square = 49$
$56 \div 7 = \square$	$7 \times \square = 56$
$63 \div 7 = \square$	$7 \times \square = 63$

곱셈구구를 이용하여 8의 단 나눗셈을 해 보세요.

$8 \div 8 = \boxed{1}$	$8 \times \boxed{1} = 8$
$16 \div 8 = \square$	$8 \times \square = 16$
$24 \div 8 = \square$	$8 \times \square = 24$
$32 \div 8 = \square$	$8 \times \square = 32$
$40 \div 8 = \square$	$8 \times \square = 40$
$48 \div 8 = \square$	$8 \times \square = 48$
$56 \div 8 = \square$	$8 \times \square = 56$
$64 \div 8 = \square$	$8 \times \square = 64$
$72 \div 8 = \square$	$8 \times \square = 72$

□ 안에 알맞은 수를 써넣으세요.

$7 \times \boxed{5} = 35$

$35 \div 7 = \boxed{5}$

$8 \times \square = 16$

$16 \div 8 = \square$

$42 \div 7 = \square$

$21 \div 7 = \square$

$40 \div 8 = \square$

$24 \div 8 = \square$

$28 \div 7 = \square$

$72 \div 8 = \square$

$32 \div 8 = \square$

$49 \div 7 = \square$

$64 \div 8 = \square$

$63 \div 7 = \square$

문장제

 다음을 읽고 알맞은 나눗셈식을 쓰고, 답을 구하세요.

쿠키 20개를 접시 하나에 5개씩 담으려고 합니다. 접시 몇 개가 필요할까요?

식 : 20 ÷ 5 = 4  개

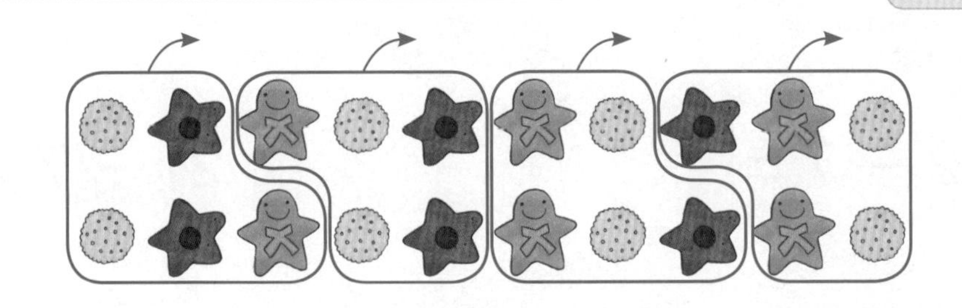

딸기 18개를 6명이 똑같게 나누어 가지려고 합니다. 한 명이 몇 개씩 가지게 될까요?

식 :  개

다음을 읽고 알맞은 나눗셈식을 쓰고, 답을 구하세요.

길이가 35cm인 철사를 모두 이용하여 크기가 같은 정삼각형 7개를 만들려고 합니다. 정삼각형 한 개를 만드는데 몇 cm의 철사가 필요할까요?

식 :

cm

35cm

동화책 15권을 책꽂이에 꽂으려고 합니다. 한 칸에 3권씩 꽂으면 모두 몇 칸에 책을 꽂을 수 있을까요?

식 :

칸

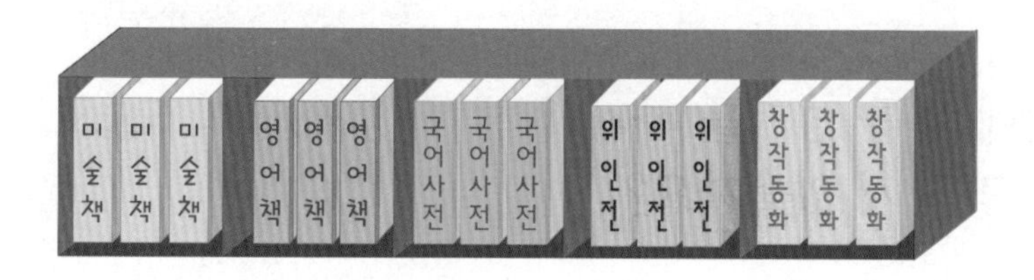

 다음을 읽고 알맞은 나눗셈식을 쓰고, 답을 구하세요.

긴 의자 하나에 6명이 앉을 수 있습니다. 윤주네 반 학생 36명이 모두 앉으려면 긴 의자는 모두 몇 개 필요할까요?

식 :

개

무게가 같은 지우개 4개가 있습니다. 무게를 재어 보니 32g이라고 합니다. 지우개 한 개의 무게는 몇 g일까요?

식 :

g

체육 시간에 뜀틀 넘기를 하기 위해 학생 40명이 5줄로 서 있습니다. 한 줄에는 몇 명씩 서 있을까요?

식 :

명

다음을 읽고 알맞은 나눗셈식을 쓰고, 답을 구하세요.

한 식탁에 의자가 6개씩 놓여 있습니다. 의자가 48개이면 식탁은 모두 몇 개일까요?

식 : ____________ [ ] 개

수박 28통을 상자 7개에 똑같이 나누어 담으려고 합니다. 한 상자에 몇 통씩 담으면 될까요?

식 : ____________ [ ] 통

엄마가 달걀 35개를 사 오셨습니다. 이 달걀을 일주일 동안 매일 같은 수만큼 먹으려면 하루에 몇 개씩 먹어야 할까요?

식 : ____________ [ ] 개

Note

소마셈 B7 – 4주차

큰 수의 나눗셈

몇십을 똑같게 가르기

 그림을 보고 똑같게 가르기 하여 □ 안에 알맞은 수를 써넣으세요.

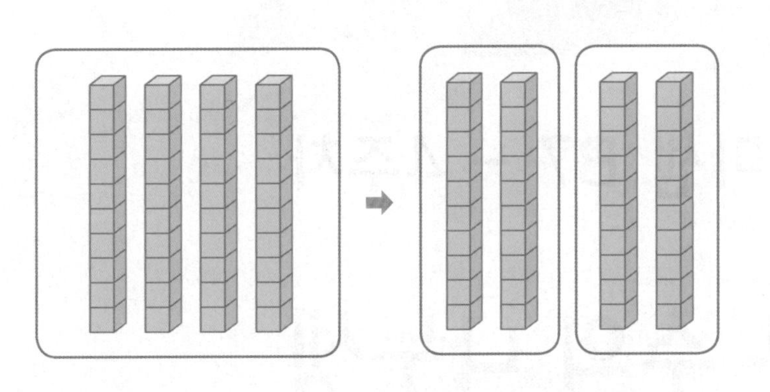

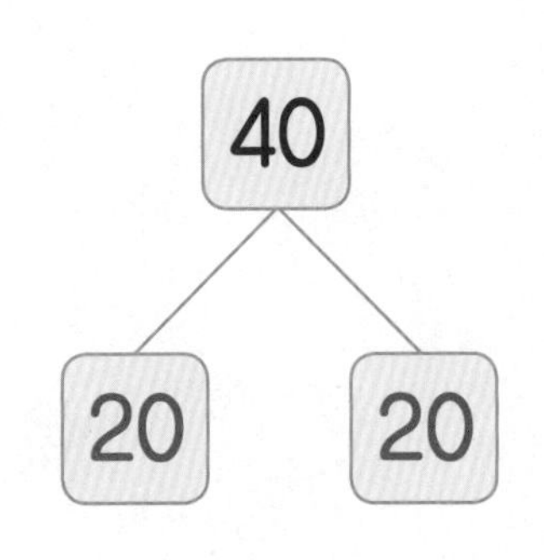

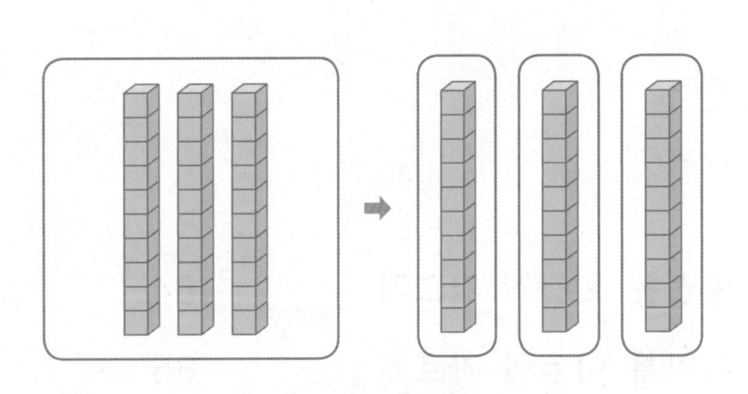

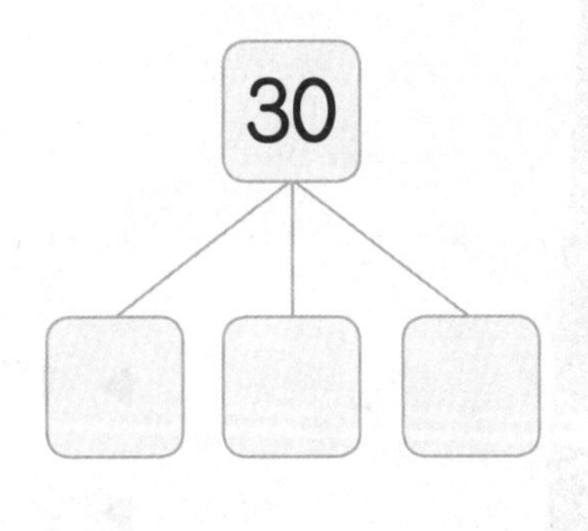

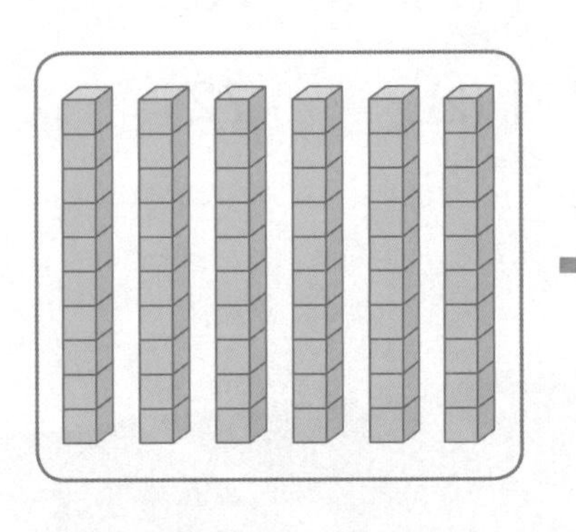

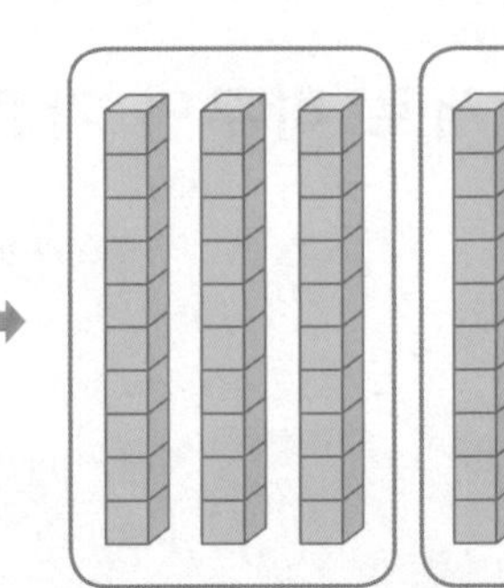

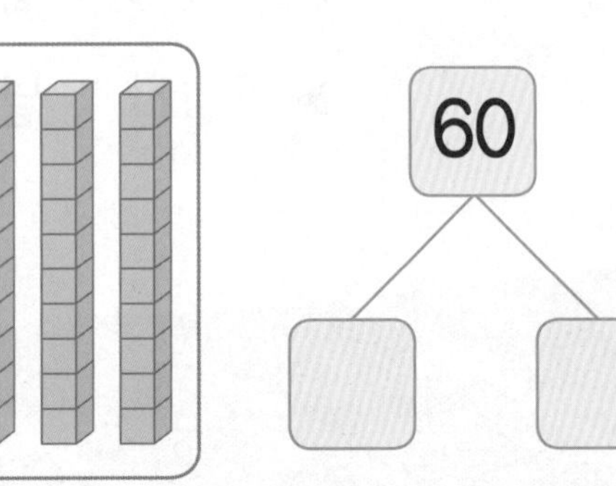

똑같게 가르기 하여 □ 안에 알맞은 수를 써넣으세요.

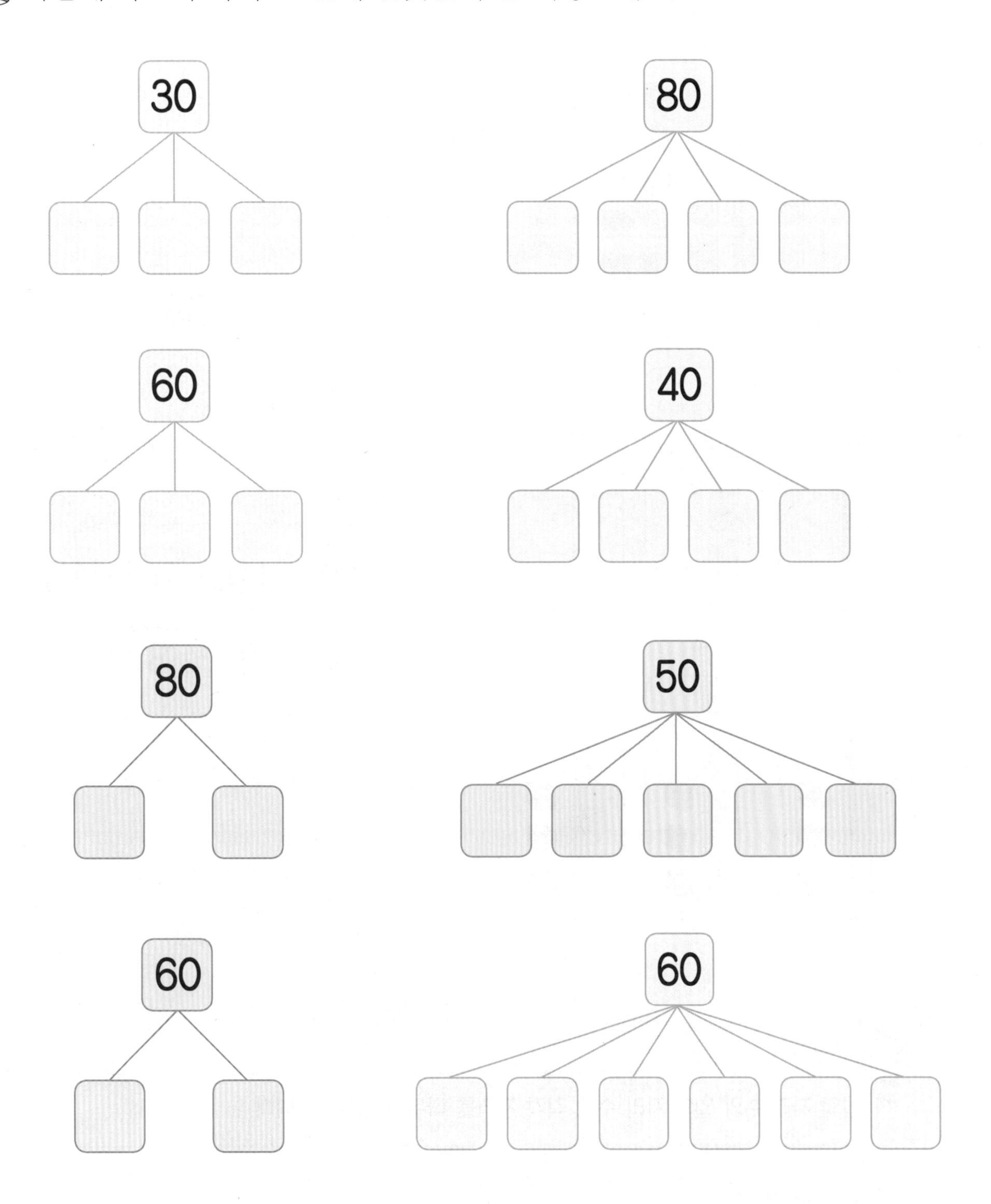

자리를 나누어 가르기 (1)

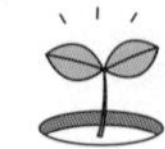 그림을 보고 똑같게 가르는 방법을 알아보세요.

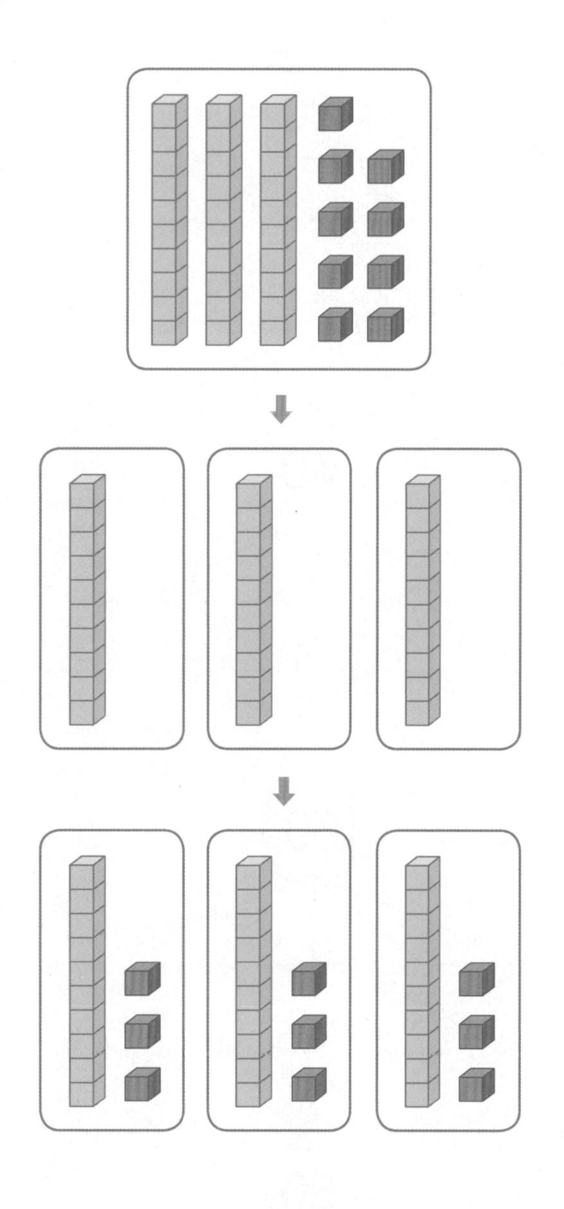

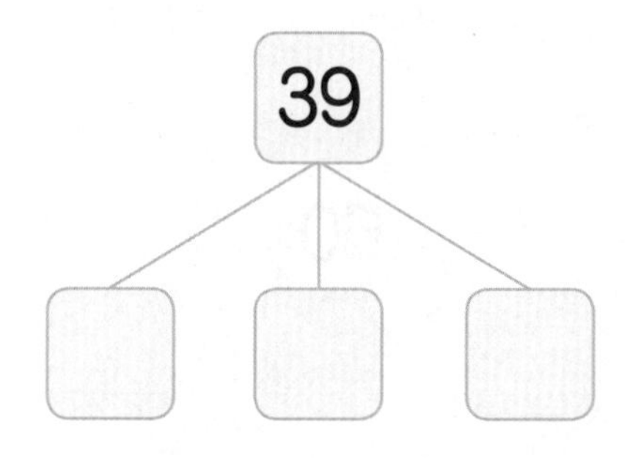

30 = 10 + 10 + 10

9 = 3 + 3 + 3

십의 자리 수와 일의 자리 수로 각각 자리를 나누어 가르기합니다.

그림을 보고 □ 안에 알맞은 수를 써넣으세요.

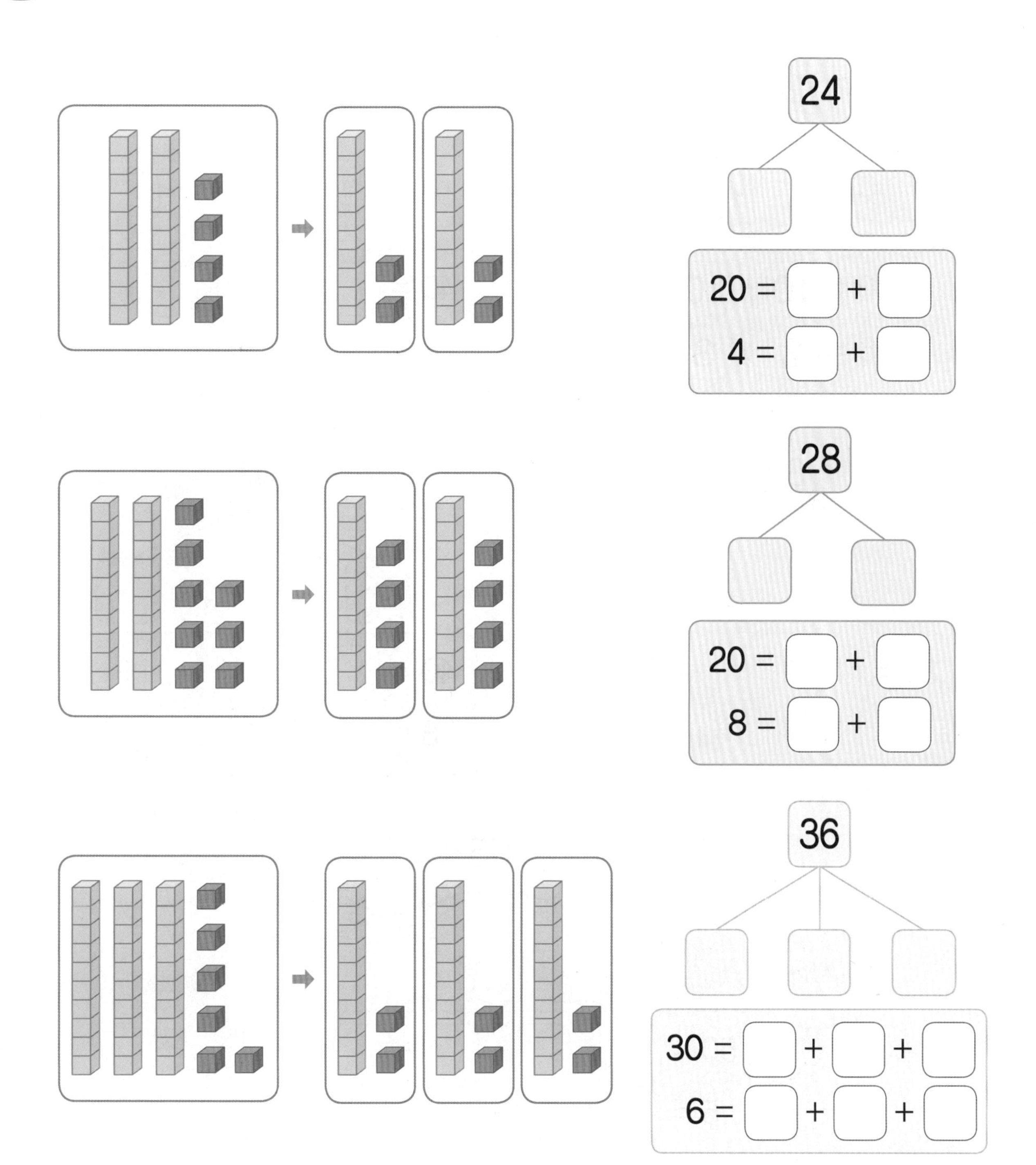

자리를 나누어 가르기 (2)

똑같게 가르기 하여 □ 안에 알맞은 수를 써넣으세요.

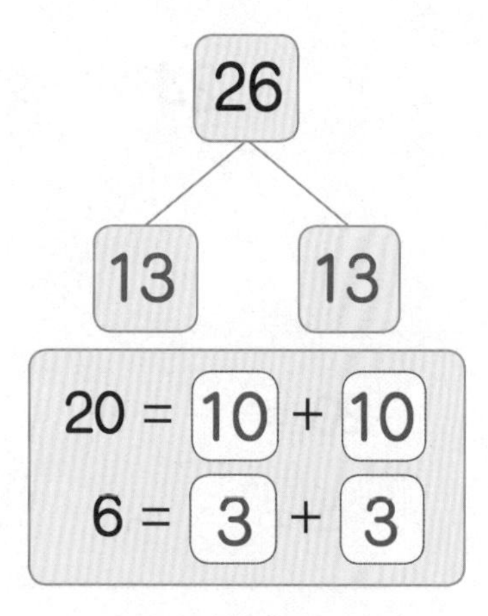

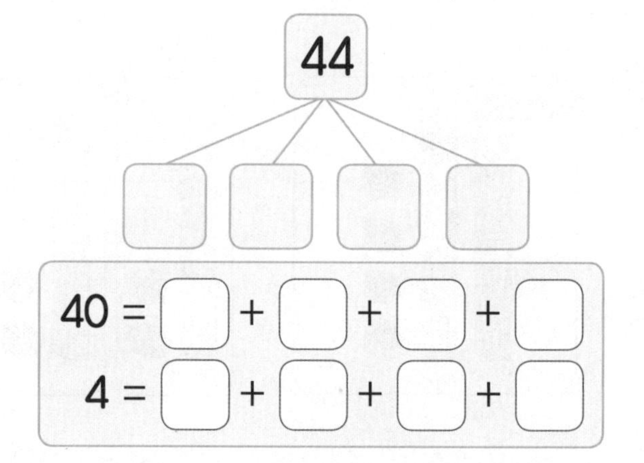

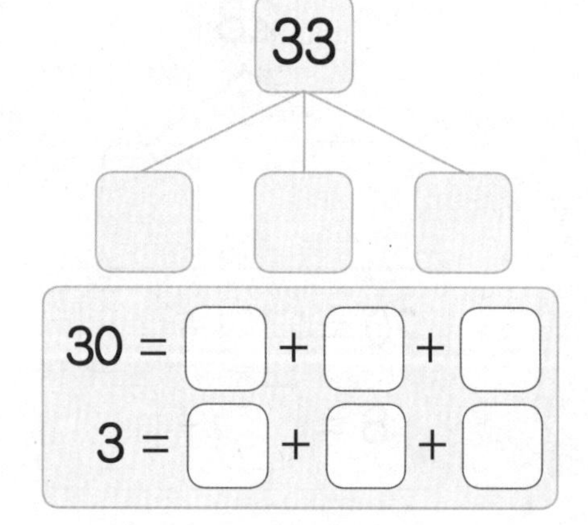

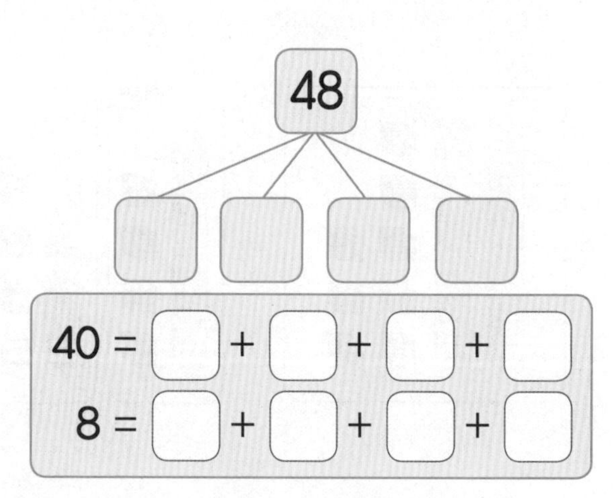

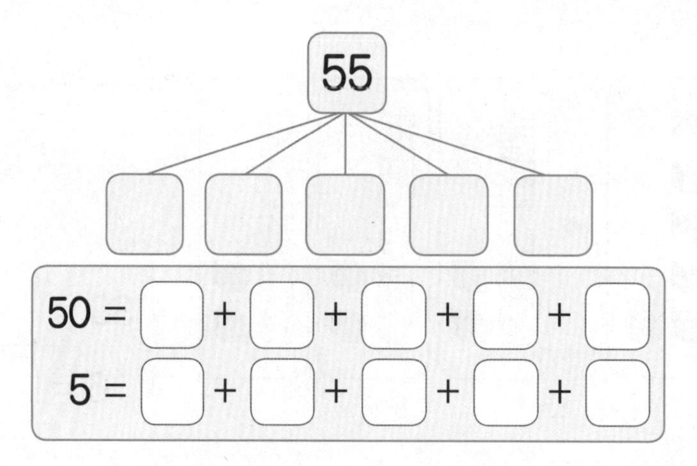

 똑같게 가르기 하여 □ 안에 알맞은 수를 써넣으세요.

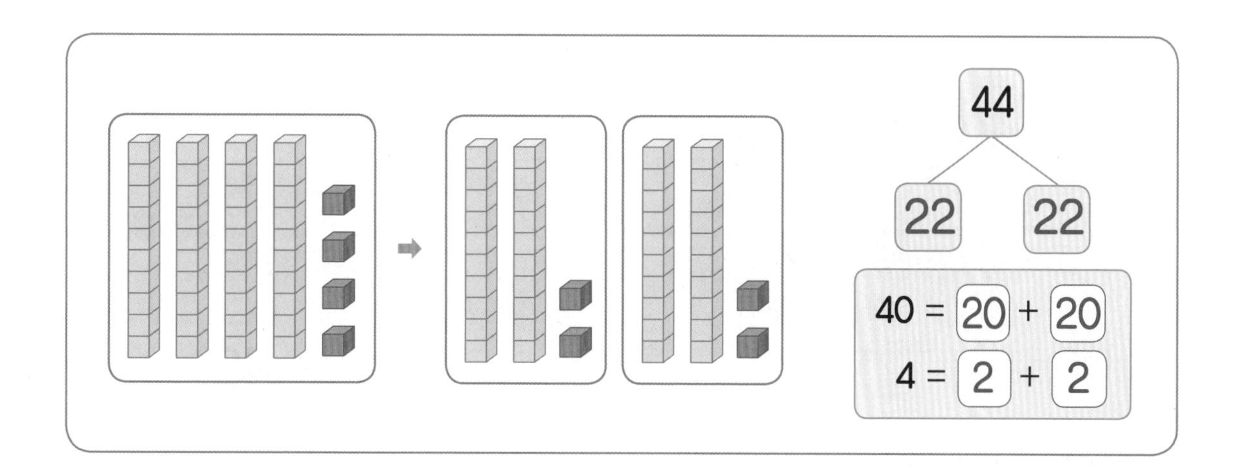

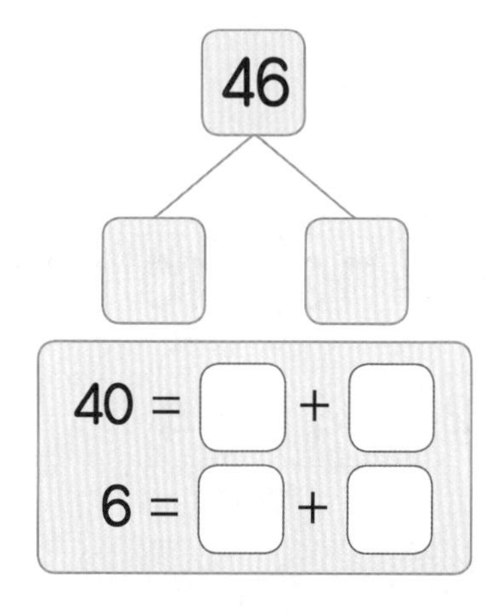

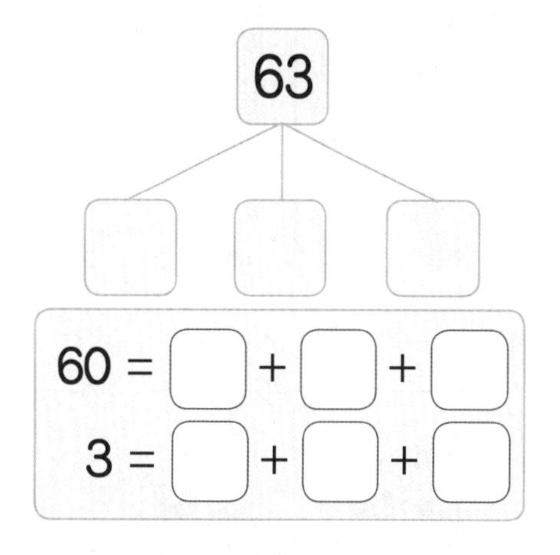

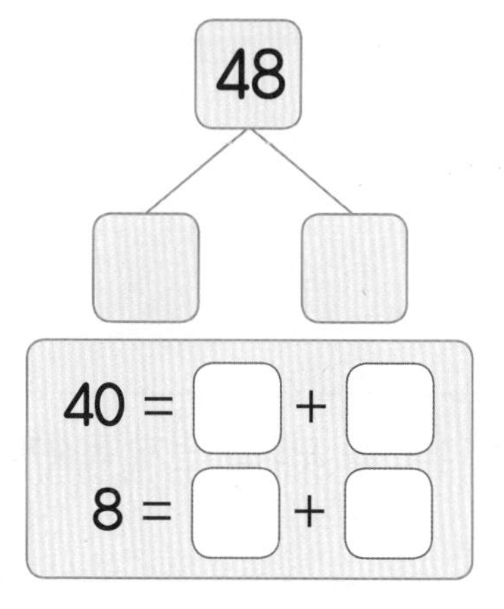

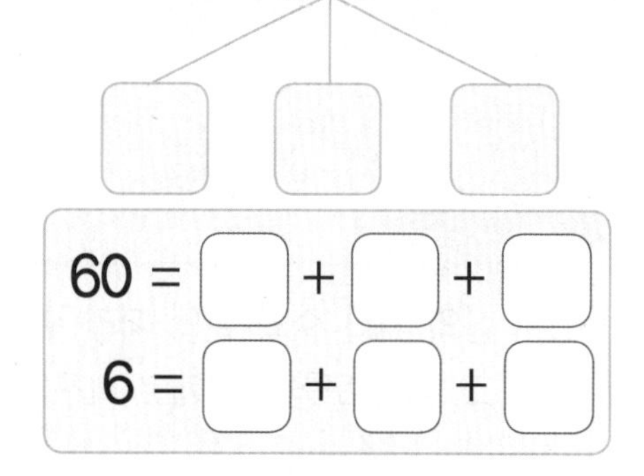

낱개로 바꾸어 가르기 (1)

 그림을 보고 똑같게 가르는 방법을 알아보세요.

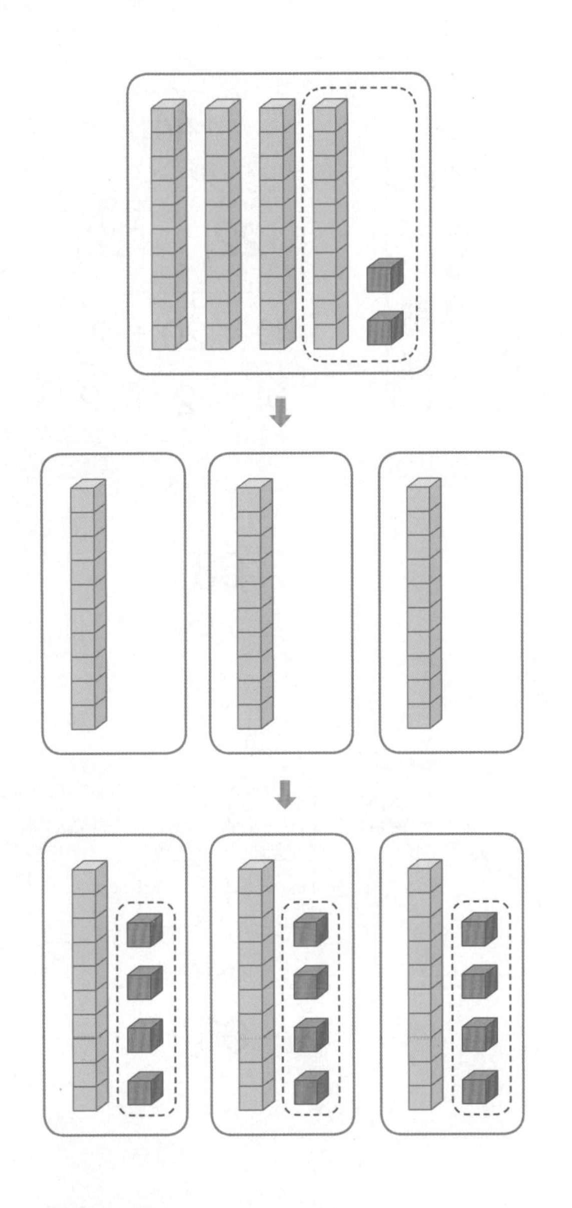

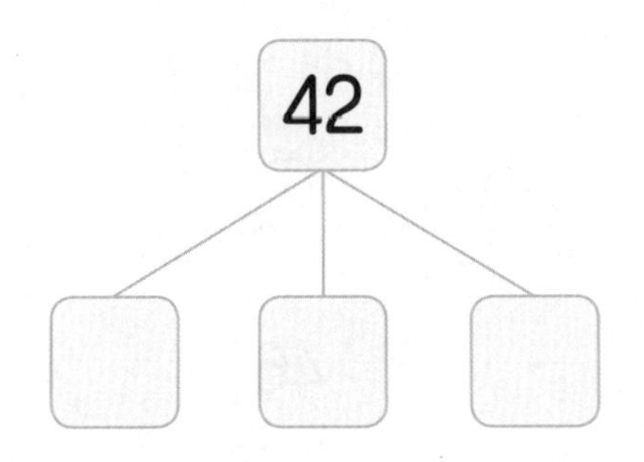

30 = 10 + 10 + 10

12 = 4 + 4 + 4

십의 자리 수와 일의 자리 수를 각각 나누어 가르기 합니다. 십 모형을 먼저 똑같게 가르고, 남은 모형을 낱개로 바꾸어 똑같게 가르기 합니다.

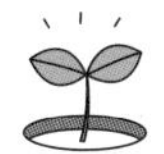 그림을 보고 □ 안에 알맞은 수를 써넣으세요.

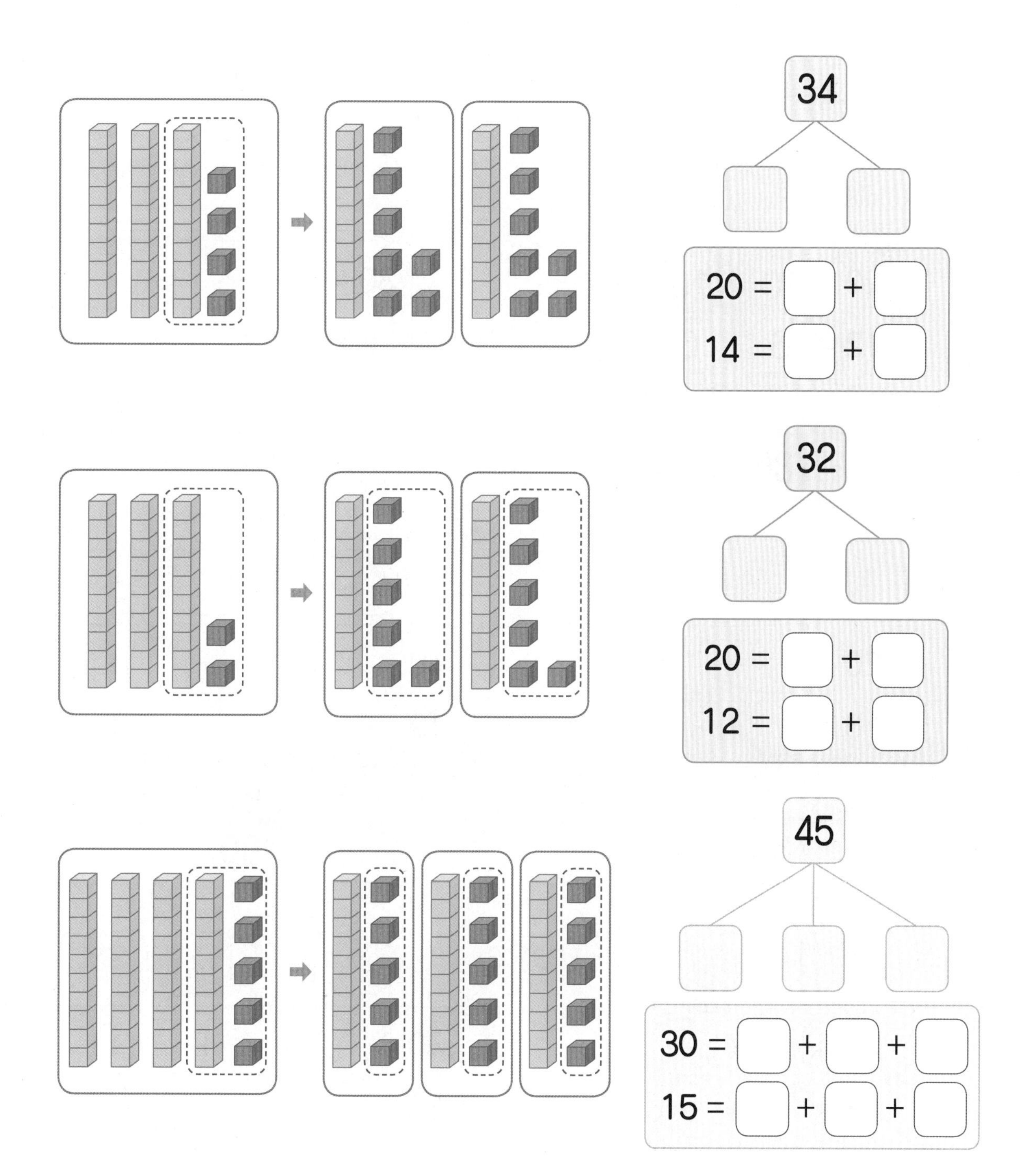

날개로 바꾸어 가르기 (2)

똑같게 가르기 하여 □ 안에 알맞은 수를 써넣으세요.

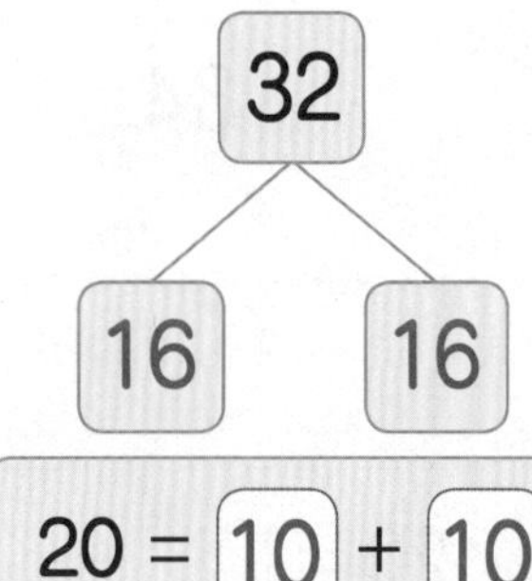

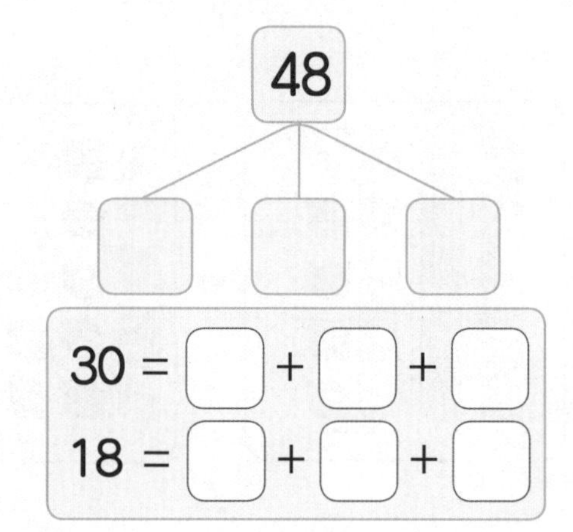

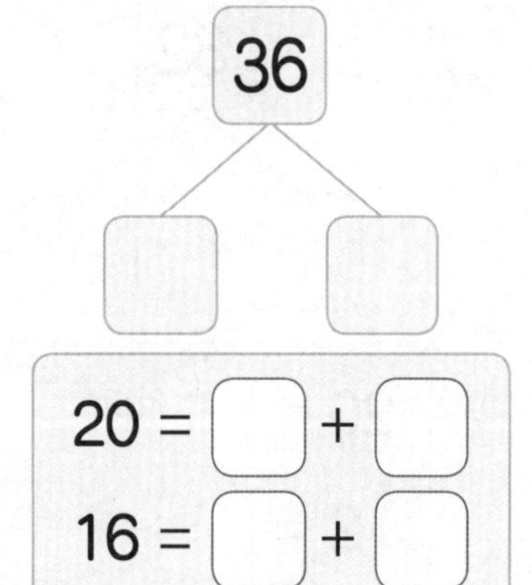

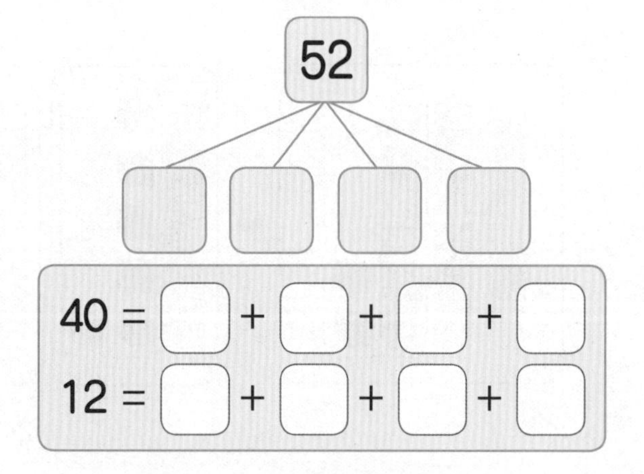

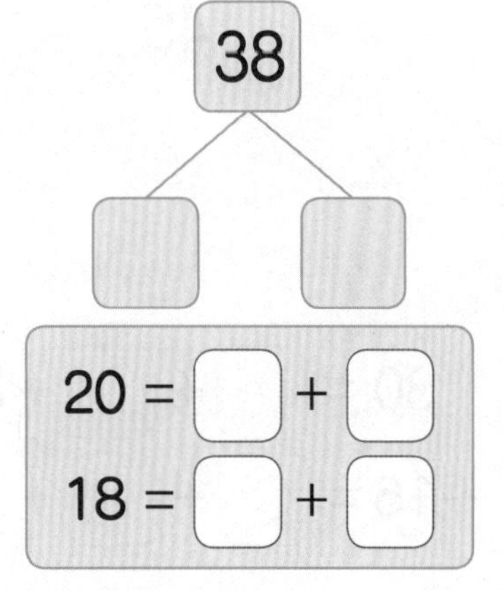

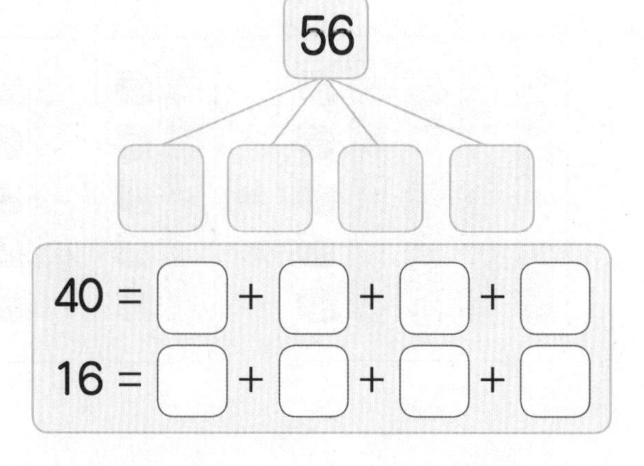

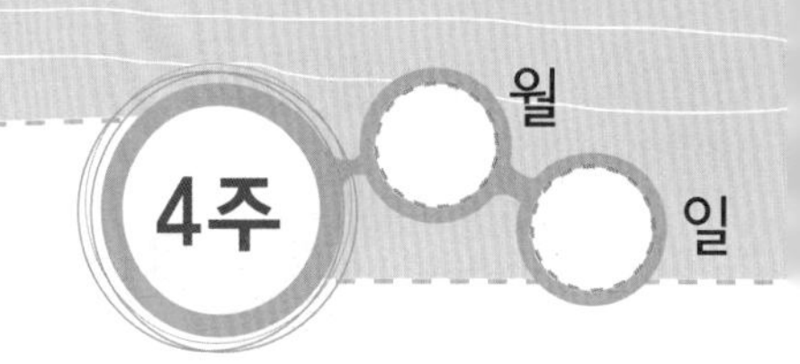

 똑같게 가르기 하여 □ 안에 알맞은 수를 써넣으세요.

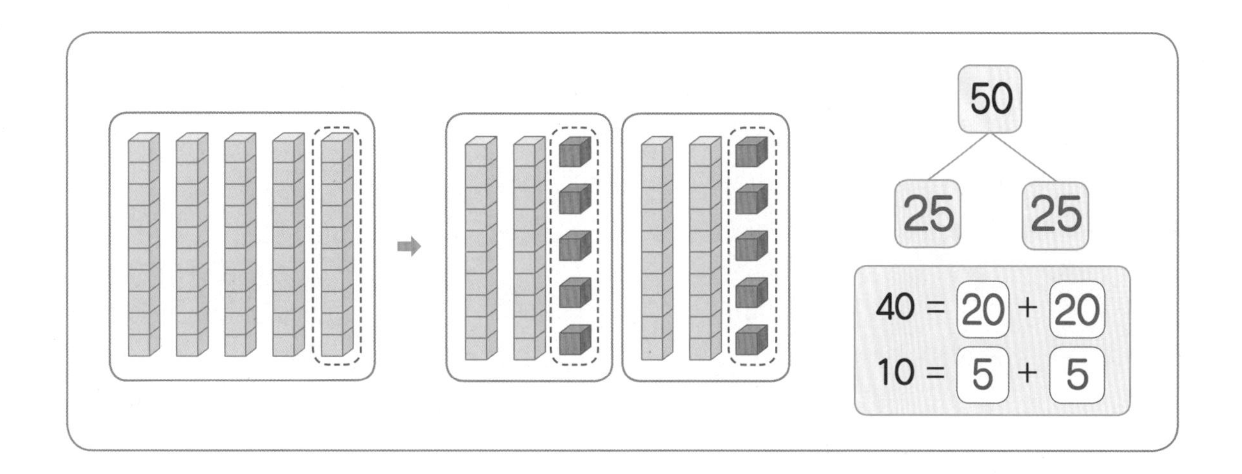

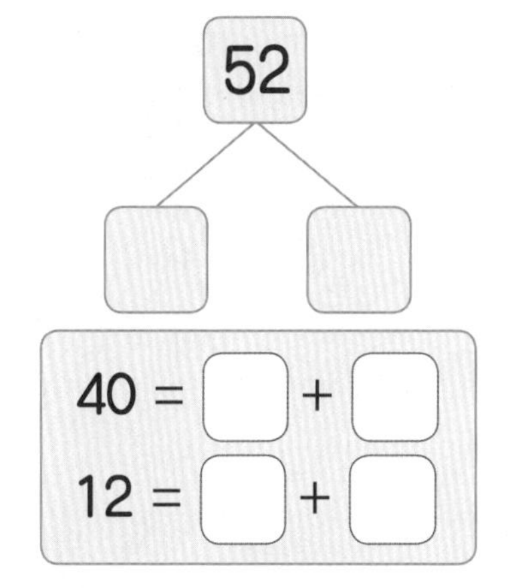

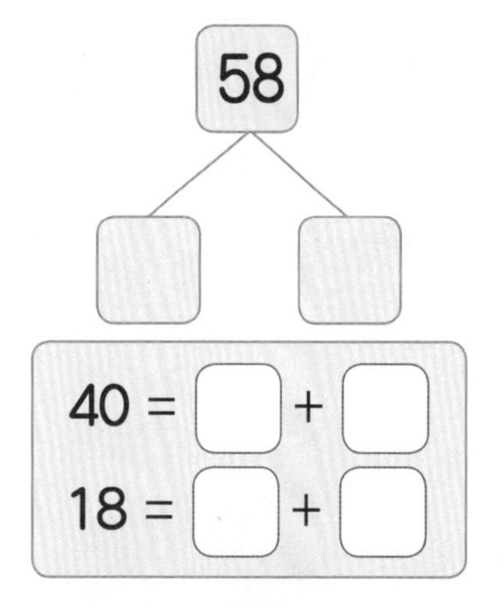

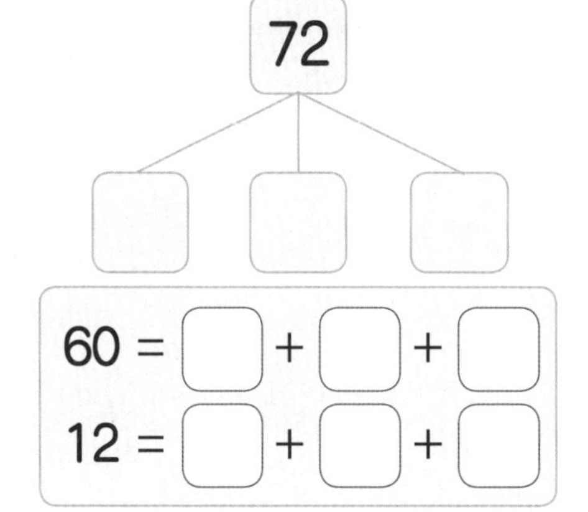

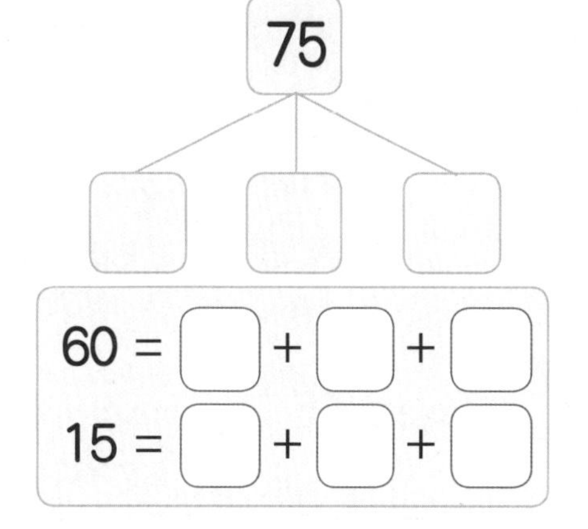

Note

보충학습

Drill

똑같이 묶어 덜어 내기

□ 안에 알맞은 수를 써넣으세요.

20-5-5-5-5=0

20 ÷ □ = □

24-8-8-8=0

24 ÷ □ = □

18-3-3-3-3-3-3=0

18 ÷ □ = □

49-7-7-7-7-7-7-7=0

49 ÷ □ = □

24-4-4-4-4-4-4=0

↓

24 ÷ □ = □

12-2-2-2-2-2-2=0

↓

12 ÷ □ = □

36-9-9-9-9=0

↓

36 ÷ □ = □

30-5-5-5-5-5-5=0

↓

30 ÷ □ = □

□ 안에 알맞은 수를 써넣으세요.

45-9-9-9-9-9=0

⬇

45 ÷ □ = □

25-5-5-5-5-5=0

⬇

25 ÷ □ = □

42-7-7-7-7-7-7=0

⬇

42 ÷ □ = □

16-4-4-4-4=0

⬇

16 ÷ □ = □

32-8-8-8-8=0

⬇

32 ÷ □ = □

28-4-4-4-4-4-4-4=0

⬇

28 ÷ □ = □

16-2-2-2-2-2-2-2-2=0

⬇

16 ÷ □ = □

42-6-6-6-6-6-6-6=0

⬇

42 ÷ □ = □

□ 안에 알맞은 수를 써넣으세요.

$21-7-7-7=0$

↓

$21 \div \square = \square$

$35-7-7-7-7-7=0$

↓

$35 \div \square = \square$

$30-5-5-5-5-5-5=0$

↓

$30 \div \square = \square$

$24-6-6-6-6=0$

↓

$24 \div \square = \square$

$16-8-8=0$

↓

$16 \div \square = \square$

$40-8-8-8-8-8=0$

↓

$40 \div \square = \square$

$32-4-4-4-4-4-4-4-4=0$

↓

$32 \div \square = \square$

$14-2-2-2-2-2-2-2=0$

↓

$14 \div \square = \square$

□ 안에 알맞은 수를 써넣으세요.

$54-9-9-9-9-9-9=0$

↓

$54 \div \square = \square$

$36-6-6-6-6-6-6=0$

↓

$36 \div \square = \square$

$10-2-2-2-2-2=0$

↓

$10 \div \square = \square$

$28-7-7-7-7=0$

↓

$28 \div \square = \square$

$24-8-8-8=0$

↓

$24 \div \square = \square$

$15-3-3-3-3-3=0$

↓

$15 \div \square = \square$

$40-8-8-8-8-8=0$

↓

$40 \div \square = \square$

$21-3-3-3-3-3-3-3=0$

↓

$21 \div \square = \square$

□ 안에 알맞은 수를 써넣으세요.

$2 \times \square = 14$

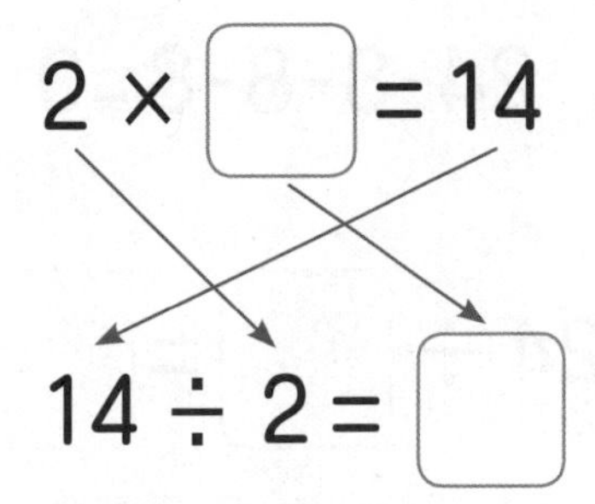

$14 \div 2 = \square$

$5 \times \square = 40$

$40 \div 5 = \square$

$6 \times \square = 36$

$36 \div 6 = \square$

$7 \times \square = 21$

$21 \div 7 = \square$

$6 \times \square = 18$

$18 \div 6 = \square$

$7 \times \square = 28$

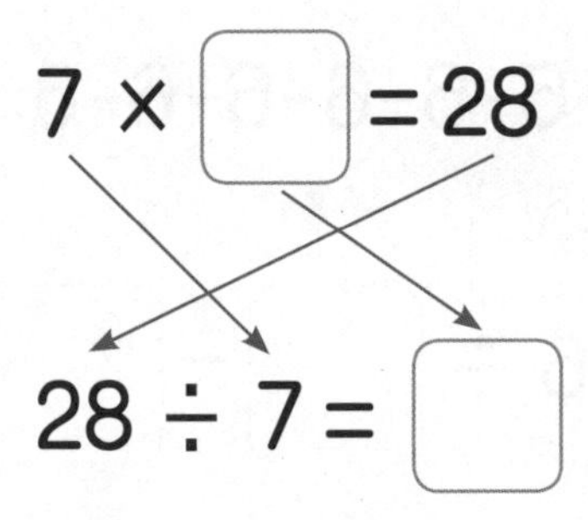

$28 \div 7 = \square$

$4 \times \square = 28$

$28 \div 4 = \square$

$8 \times \square = 56$

$56 \div 8 = \square$

□ 안에 알맞은 수를 써넣으세요.

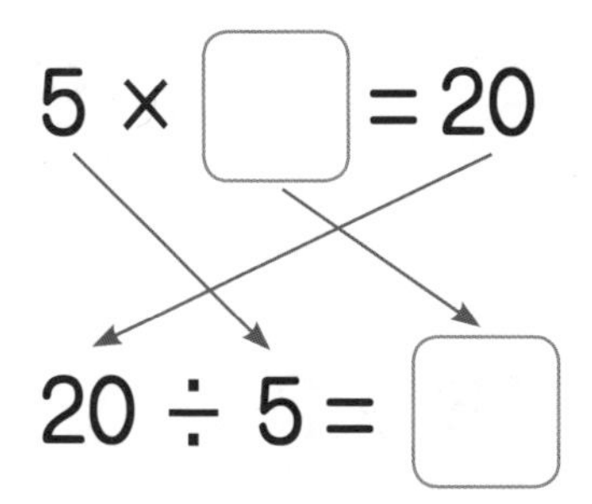

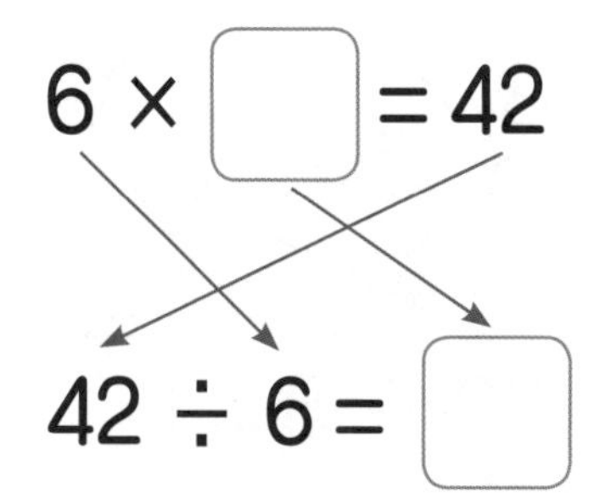

$5 \times \square = 25$

$25 \div 5 = \square$

$4 \times \square = 20$

$20 \div 4 = \square$

$4 \times \square = 24$

$24 \div 4 = \square$

$3 \times \square = 21$

$21 \div 3 = \square$

$8 \times \square = 16$

$16 \div 8 = \square$

$9 \times \square = 45$

$45 \div 9 = \square$

□ 안에 알맞은 수를 써넣으세요.

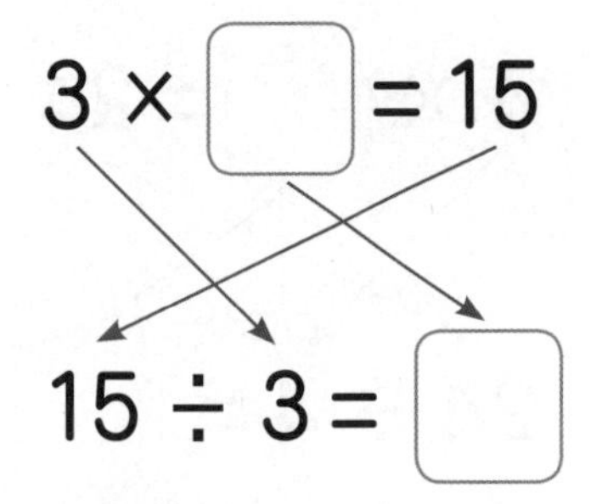

$3 \times \square = 15$

$15 \div 3 = \square$

$5 \times \square = 35$

$35 \div 5 = \square$

$6 \times \square = 42$

$42 \div 6 = \square$

$7 \times \square = 28$

$28 \div 7 = \square$

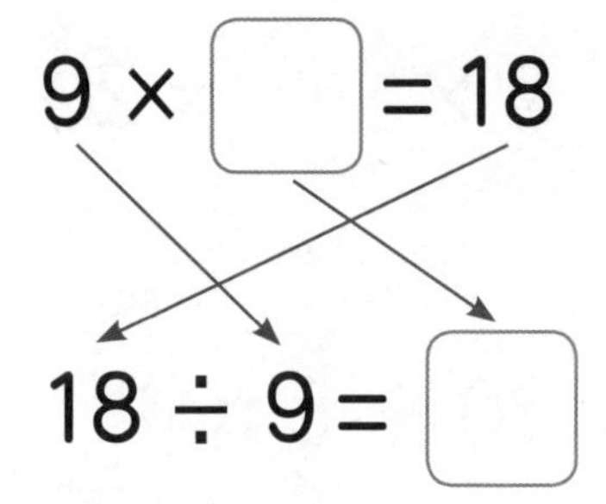

$9 \times \square = 18$

$18 \div 9 = \square$

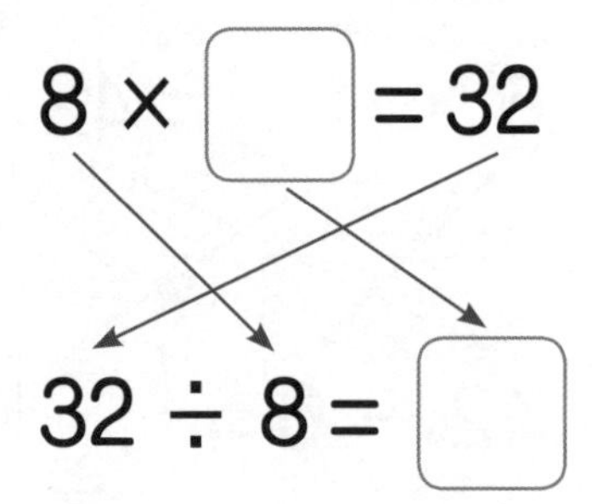

$8 \times \square = 32$

$32 \div 8 = \square$

$7 \times \square = 49$

$49 \div 7 = \square$

$8 \times \square = 72$

$72 \div 8 = \square$

□ 안에 알맞은 수를 써넣으세요.

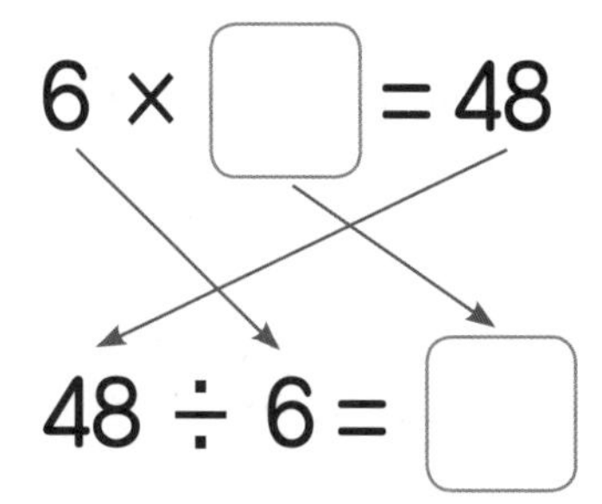

$6 \times \square = 48$

$48 \div 6 = \square$

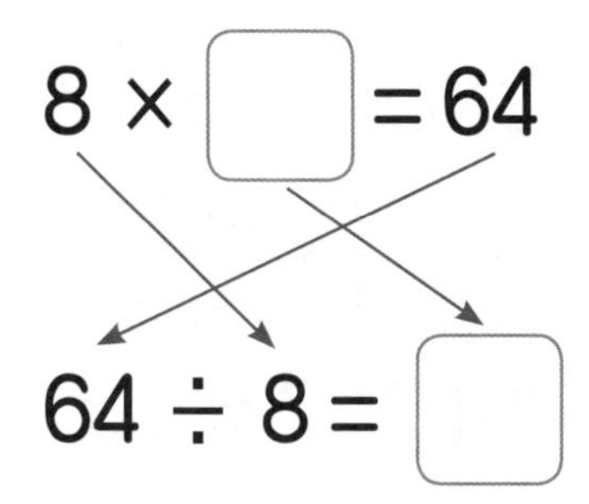

$8 \times \square = 64$

$64 \div 8 = \square$

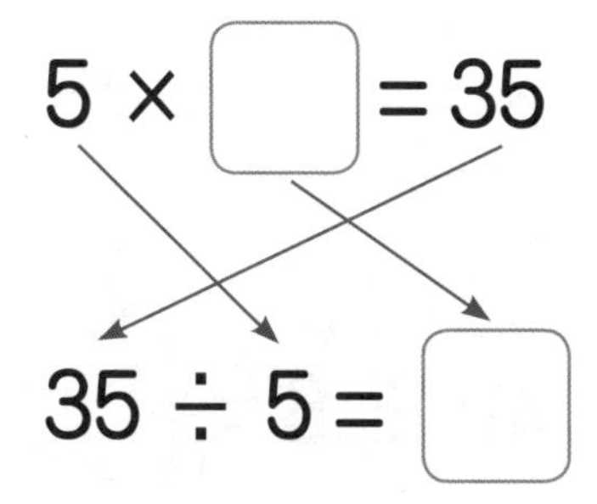

$5 \times \square = 35$

$35 \div 5 = \square$

$4 \times \square = 28$

$28 \div 4 = \square$

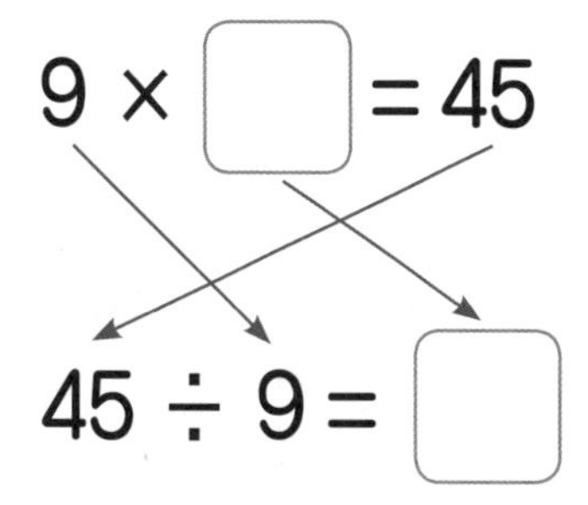

$9 \times \square = 45$

$45 \div 9 = \square$

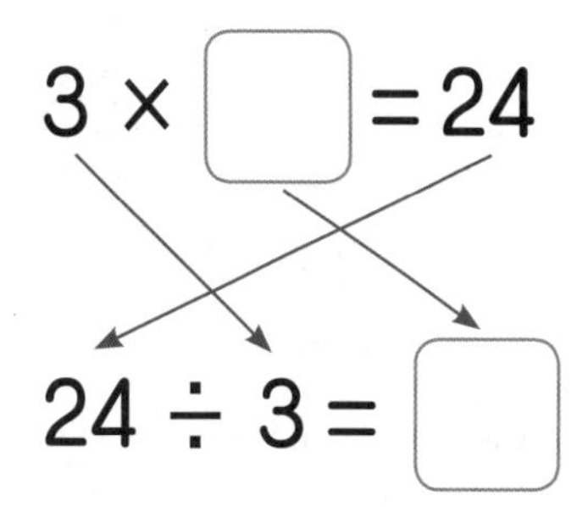

$3 \times \square = 24$

$24 \div 3 = \square$

$8 \times \square = 24$

$24 \div 8 = \square$

$9 \times \square = 27$

$27 \div 9 = \square$

똑같게 나누기

□ 안에 알맞은 수를 써넣으세요.

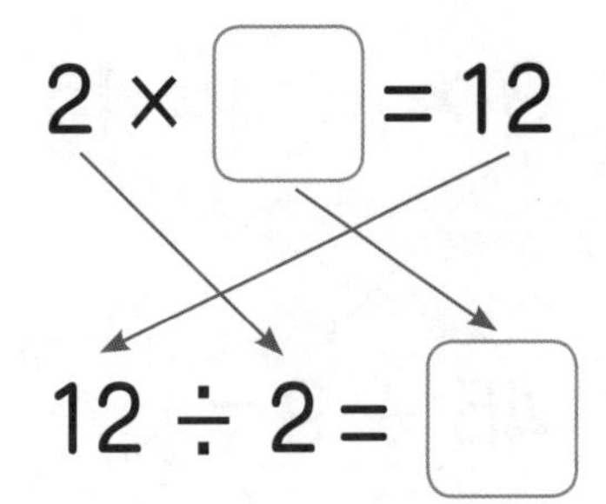

$2 \times \square = 12$

$12 \div 2 = \square$

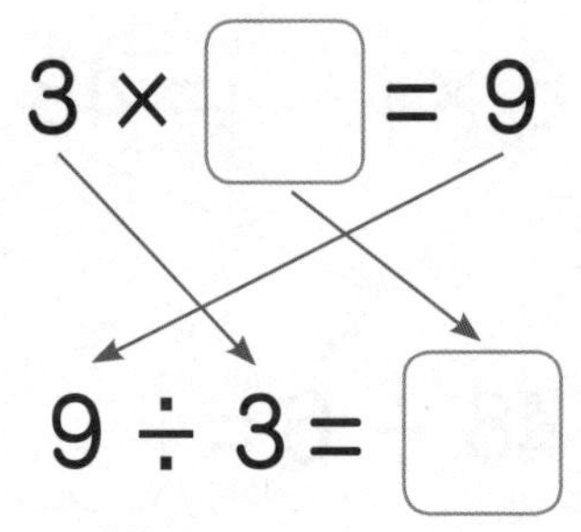

$3 \times \square = 9$

$9 \div 3 = \square$

$5 \times \square = 35$

$35 \div 5 = \square$

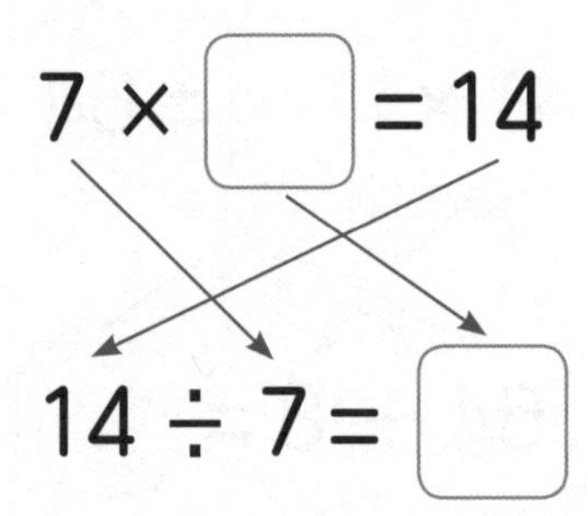

$7 \times \square = 14$

$14 \div 7 = \square$

$6 \times \square = 12$

$12 \div 6 = \square$

$8 \times \square = 48$

$48 \div 8 = \square$

$6 \times \square = 42$

$42 \div 6 = \square$

$9 \times \square = 63$

$63 \div 9 = \square$

□ 안에 알맞은 수를 써넣으세요.

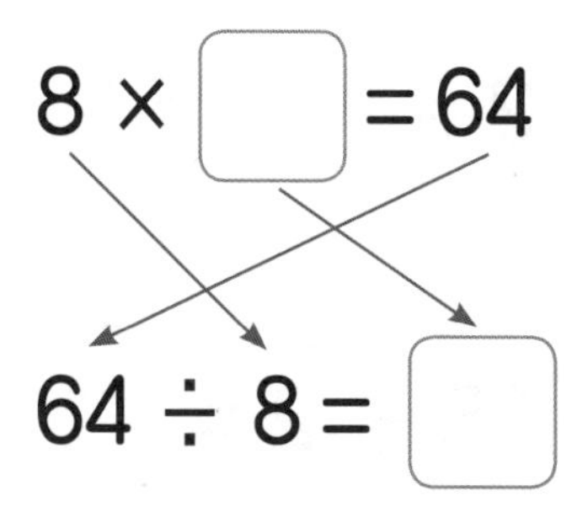

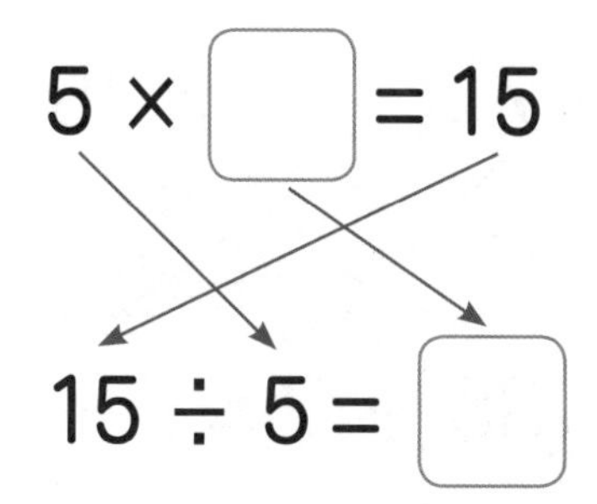

$5 \times \square = 30$

$30 \div 5 = \square$

$4 \times \square = 16$

$16 \div 4 = \square$

$2 \times \square = 10$

$10 \div 2 = \square$

$7 \times \square = 21$

$21 \div 7 = \square$

$8 \times \square = 72$

$72 \div 8 = \square$

$9 \times \square = 81$

$81 \div 9 = \square$

□ 안에 알맞은 수를 써넣으세요.

$3 \times \square = 24$

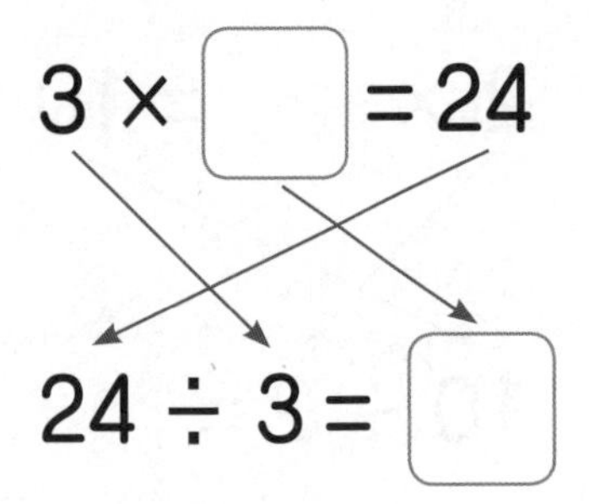

$24 \div 3 = \square$

$5 \times \square = 15$

$15 \div 5 = \square$

$6 \times \square = 54$

$54 \div 6 = \square$

$9 \times \square = 54$

$54 \div 9 = \square$

$2 \times \square = 18$

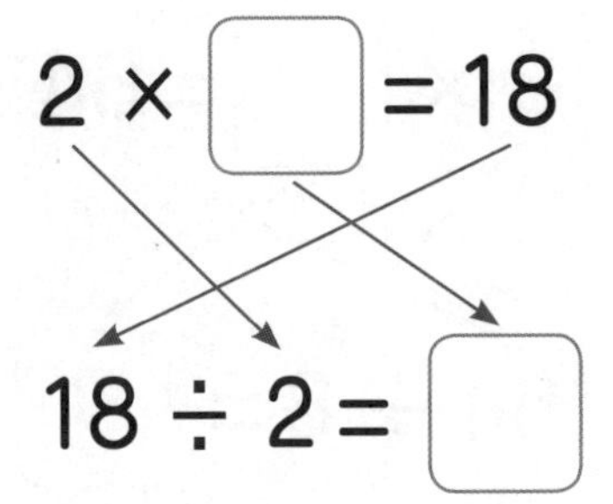

$18 \div 2 = \square$

$7 \times \square = 35$

$35 \div 7 = \square$

$4 \times \square = 32$

$32 \div 4 = \square$

$8 \times \square = 24$

$24 \div 8 = \square$

□ 안에 알맞은 수를 써넣으세요.

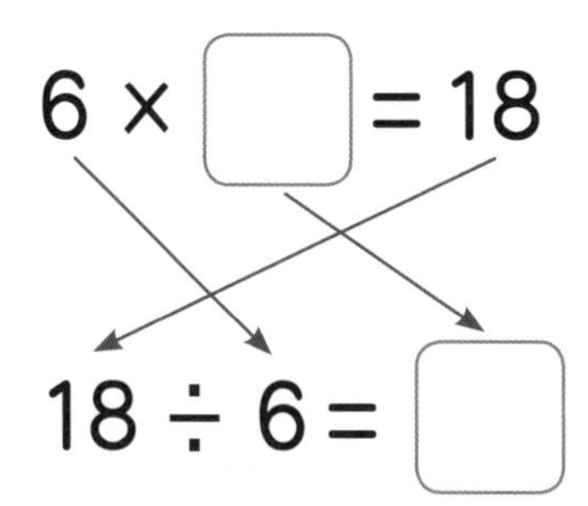

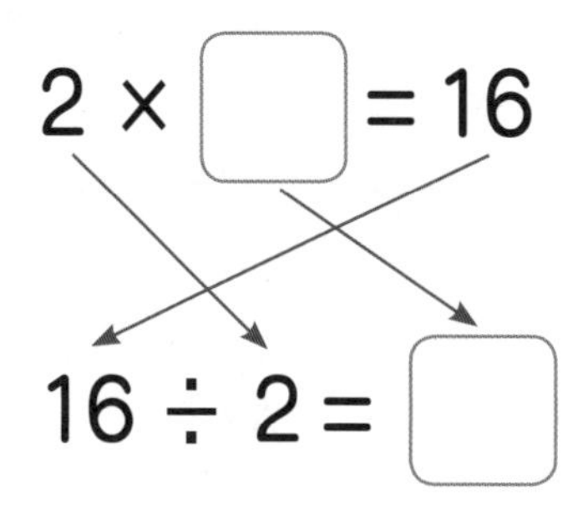

$7 \times \square = 49$

$49 \div 7 = \square$

$4 \times \square = 36$

$36 \div 4 = \square$

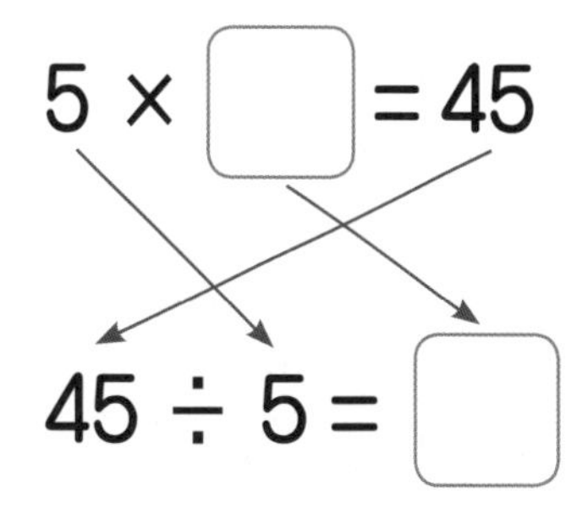

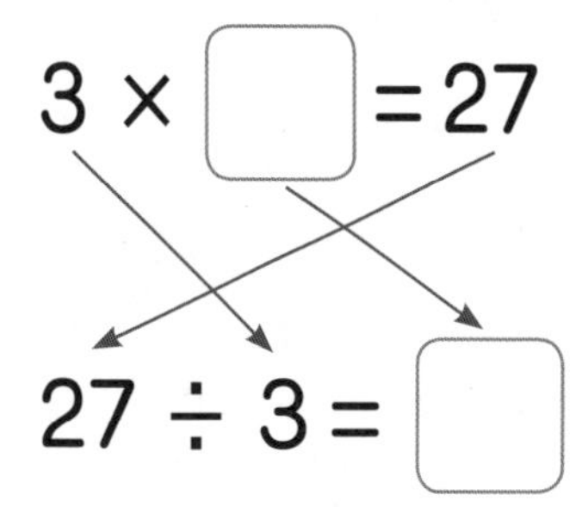

$8 \times \square = 32$

$32 \div 8 = \square$

$9 \times \square = 36$

$36 \div 9 = \square$

계산 결과가 같은 것끼리 선으로 이어보세요.

16÷2=□	4	2×□=16
30÷6=□	5	5×□=30
16÷4=□	6	6×□=30
30÷5=□	8	4×□=16
24÷8=□	7	7×□=49
49÷7=□	3	8×□=24

계산 결과가 같은 것끼리 선으로 이어보세요.

$45 \div 5 = \square$ •	• 3 •	• $3 \times \square = 9$
$9 \div 3 = \square$ •	• 5 •	• $5 \times \square = 45$
$42 \div 6 = \square$ •	• 9 •	• $3 \times \square = 12$
$10 \div 2 = \square$ •	• 4 •	• $2 \times \square = 10$
$56 \div 7 = \square$ •	• 8 •	• $6 \times \square = 42$
$12 \div 3 = \square$ •	• 7 •	• $7 \times \square = 56$

올바른 계산 결과가 되도록 길을 그려 보세요.

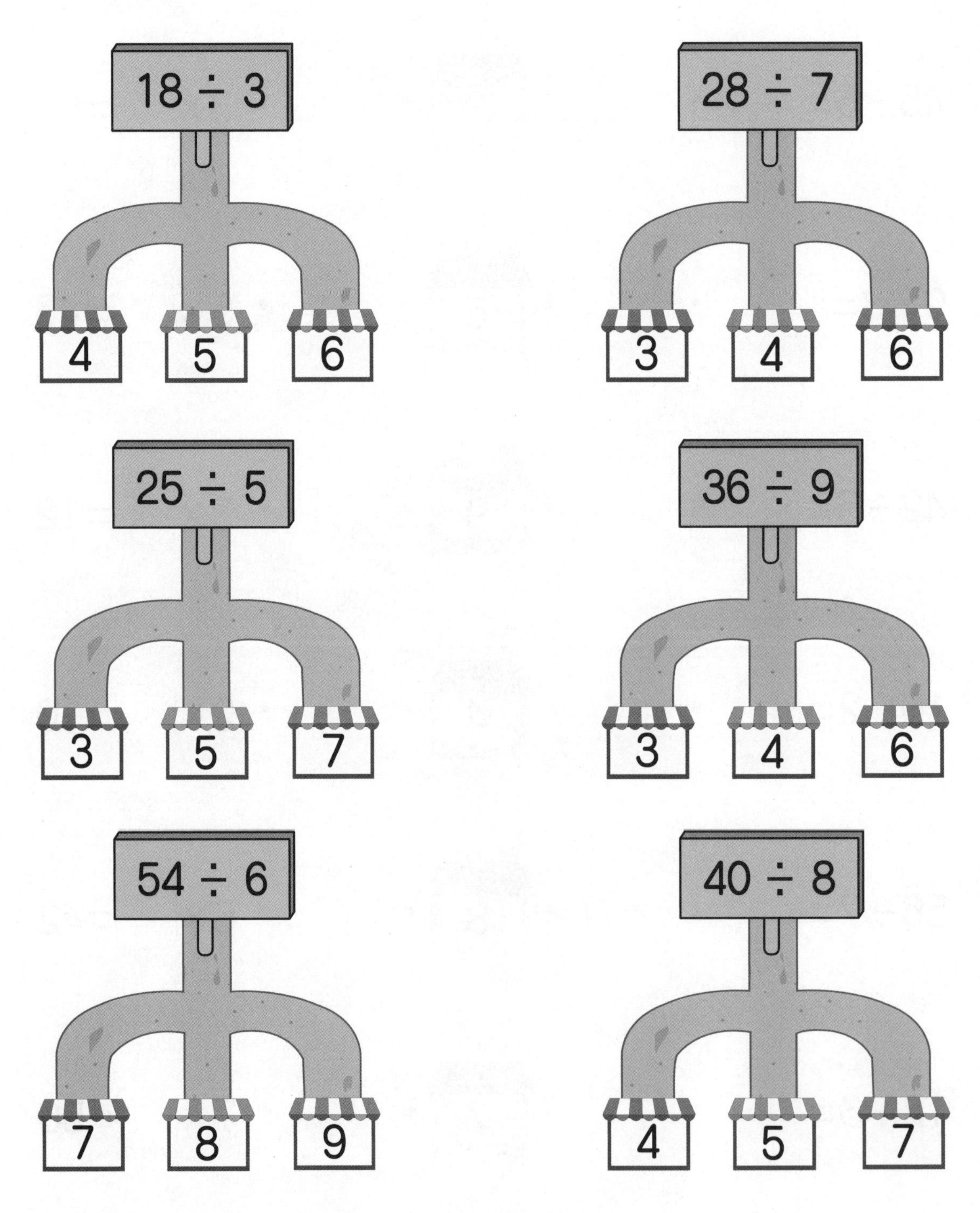

올바른 계산 결과가 되도록 길을 그려 보세요.

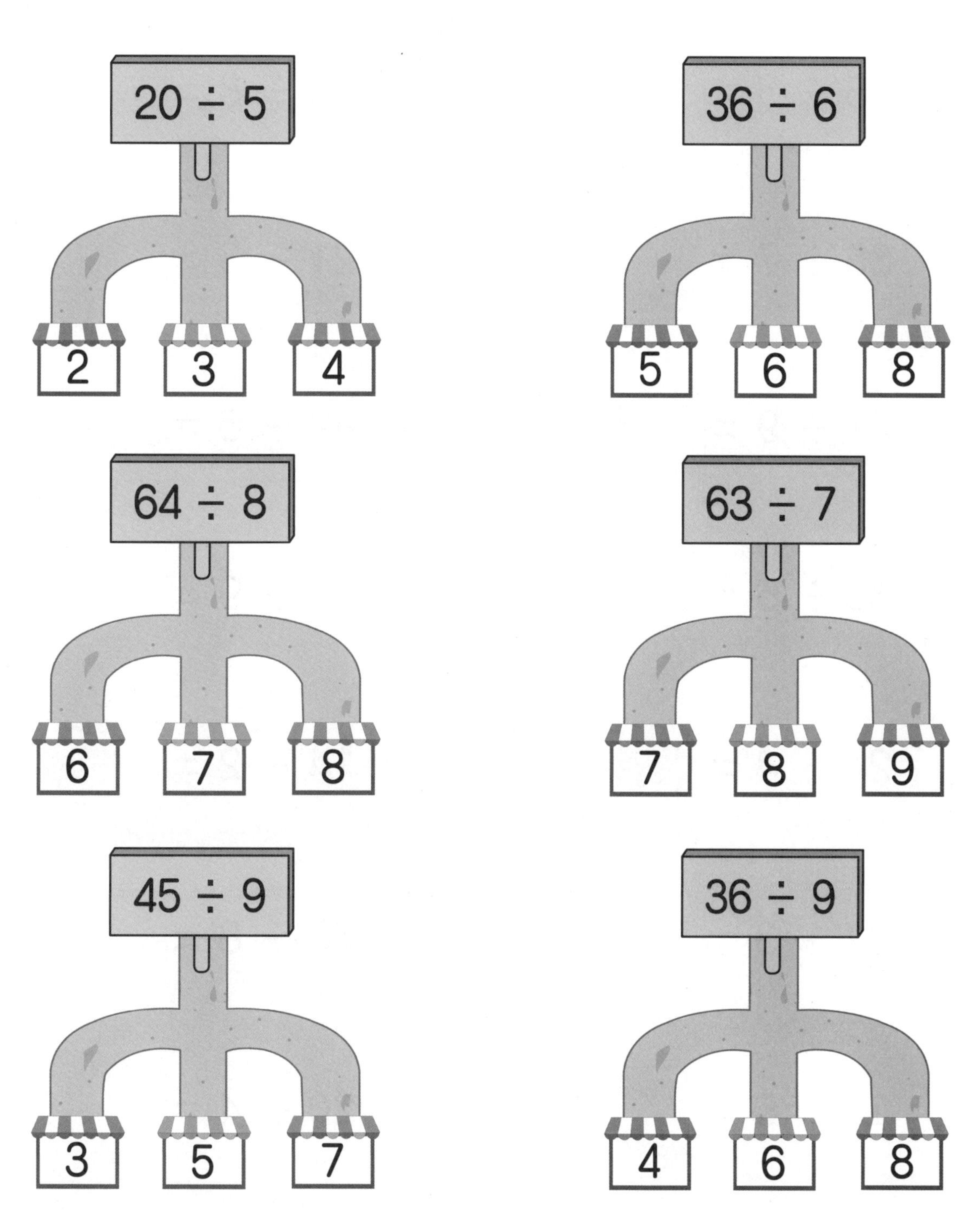

나눗셈구구

□ 안에 알맞은 수를 써넣으세요.

$18 \div 3 = \square$

$35 \div 7 = \square$

$81 \div 9 = \square$

$30 \div 6 = \square$

$24 \div 4 = \square$

$27 \div 3 = \square$

$12 \div 6 = \square$

$40 \div 8 = \square$

$21 \div 3 = \square$

$42 \div 6 = \square$

$27 \div 9 = \square$

$14 \div 2 = \square$

$40 \div 8 = \square$

$20 \div 4 = \square$

□ 안에 알맞은 수를 써넣으세요.

$28 \div 4 = \square$

$54 \div 9 = \square$

$24 \div 8 = \square$

$8 \div 2 = \square$

$48 \div 6 = \square$

$9 \div 3 = \square$

$28 \div 7 = \square$

$16 \div 8 = \square$

$56 \div 8 = \square$

$56 \div 7 = \square$

$25 \div 5 = \square$

$28 \div 7 = \square$

$32 \div 4 = \square$

$48 \div 8 = \square$

□ 안에 알맞은 수를 써넣으세요.

$21 \div 3 = \square$

$30 \div 5 = \square$

$72 \div 9 = \square$

$28 \div 4 = \square$

$24 \div 3 = \square$

$18 \div 6 = \square$

$18 \div 2 = \square$

$48 \div 6 = \square$

$18 \div 3 = \square$

$36 \div 6 = \square$

$24 \div 4 = \square$

$12 \div 3 = \square$

$30 \div 5 = \square$

$20 \div 5 = \square$

□ 안에 알맞은 수를 써넣으세요.

$36 \div 4 = \square$

$45 \div 9 = \square$

$32 \div 8 = \square$

$10 \div 2 = \square$

$42 \div 6 = \square$

$12 \div 3 = \square$

$35 \div 7 = \square$

$64 \div 8 = \square$

$63 \div 7 = \square$

$30 \div 5 = \square$

$49 \div 7 = \square$

$32 \div 4 = \square$

$45 \div 5 = \square$

$54 \div 9 = \square$

□ 안에 알맞은 수를 써넣으세요.

$32 \div 8 = \square$

$36 \div 6 = \square$

$15 \div 3 = \square$

$63 \div 7 = \square$

$28 \div 4 = \square$

$45 \div 9 = \square$

$27 \div 9 = \square$

$12 \div 3 = \square$

$14 \div 7 = \square$

$20 \div 4 = \square$

$10 \div 2 = \square$

$54 \div 6 = \square$

$42 \div 7 = \square$

$18 \div 9 = \square$

□ 안에 알맞은 수를 써넣으세요.

$36 \div 9 = \square$

$7 \div 7 = \square$

$20 \div 4 = \square$

$21 \div 7 = \square$

$24 \div 6 = \square$

$49 \div 7 = \square$

$32 \div 4 = \square$

$30 \div 5 = \square$

$72 \div 9 = \square$

$30 \div 6 = \square$

$64 \div 8 = \square$

$28 \div 7 = \square$

$24 \div 3 = \square$

$40 \div 5 = \square$

□ 안에 알맞은 수를 써넣으세요.

$40 \div 8 = \square$

$54 \div 6 = \square$

$15 \div 5 = \square$

$64 \div 8 = \square$

$36 \div 4 = \square$

$18 \div 9 = \square$

$35 \div 7 = \square$

$15 \div 5 = \square$

$21 \div 3 = \square$

$20 \div 4 = \square$

$12 \div 2 = \square$

$48 \div 6 = \square$

$49 \div 7 = \square$

$27 \div 9 = \square$

□ 안에 알맞은 수를 써넣으세요.

$28 \div 4 = \square$

$6 \div 3 = \square$

$16 \div 4 = \square$

$25 \div 5 = \square$

$35 \div 7 = \square$

$32 \div 8 = \square$

$18 \div 6 = \square$

$9 \div 3 = \square$

$72 \div 8 = \square$

$36 \div 6 = \square$

$72 \div 9 = \square$

$21 \div 3 = \square$

$40 \div 5 = \square$

$24 \div 4 = \square$

큰 수의 나눗셈

□ 안에 알맞은 수를 써넣으세요.

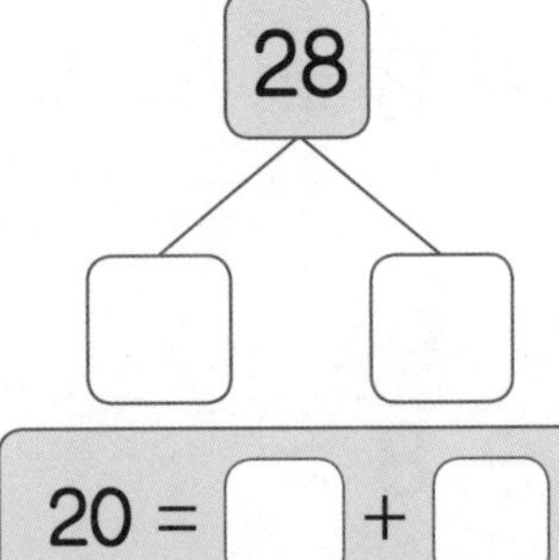

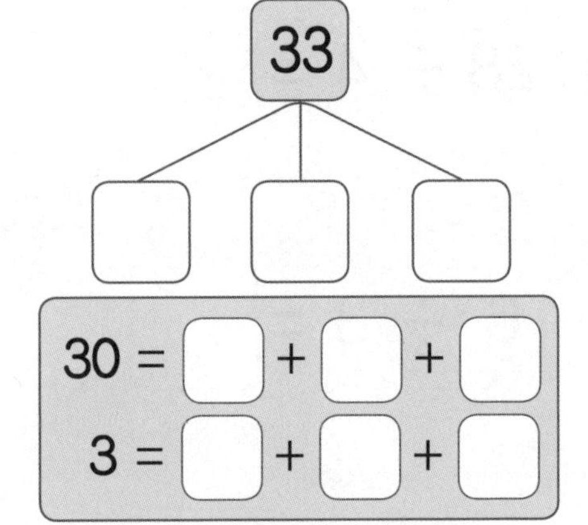

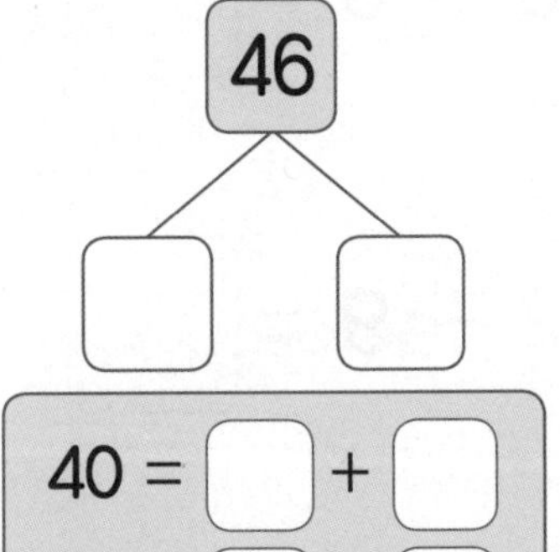

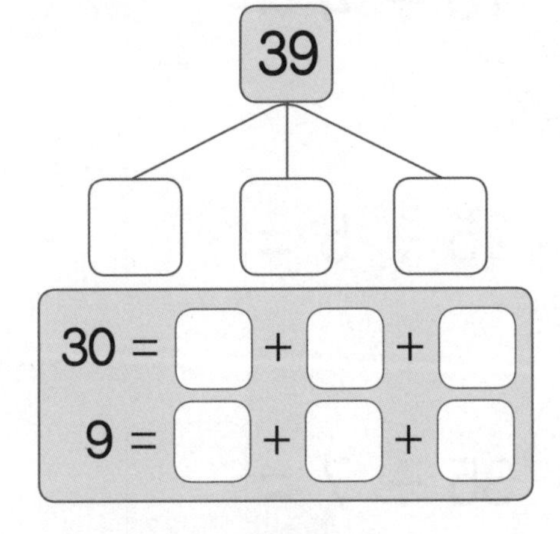

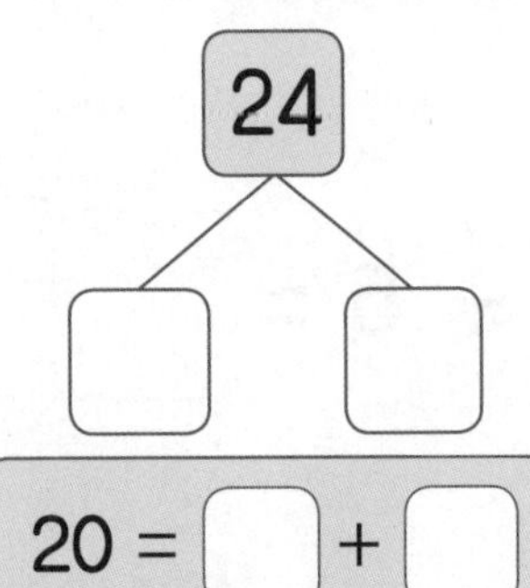

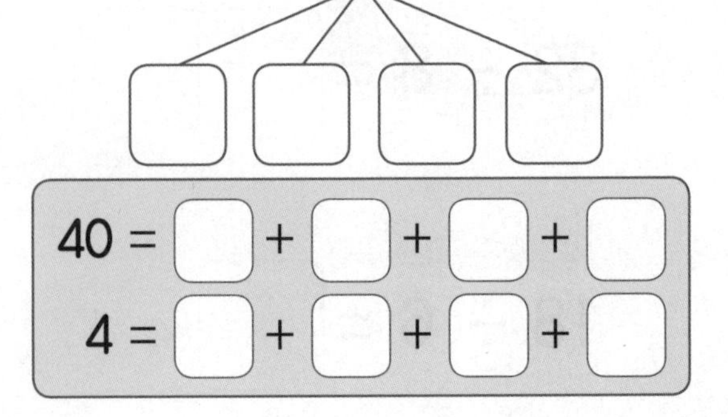

□ 안에 알맞은 수를 써넣으세요.

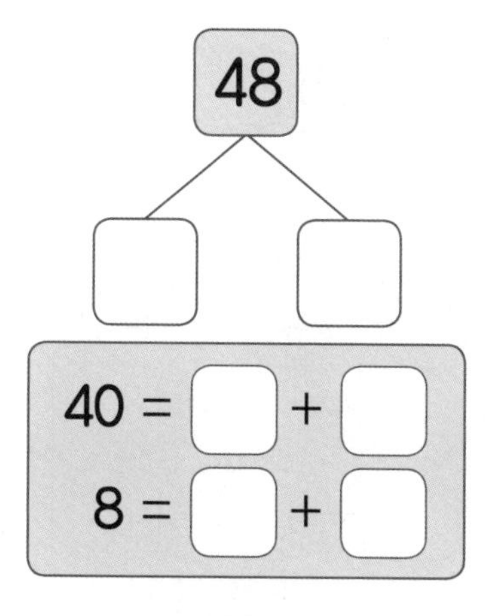

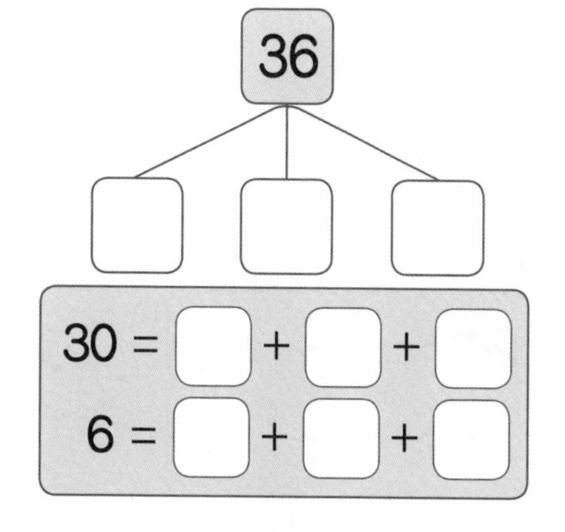

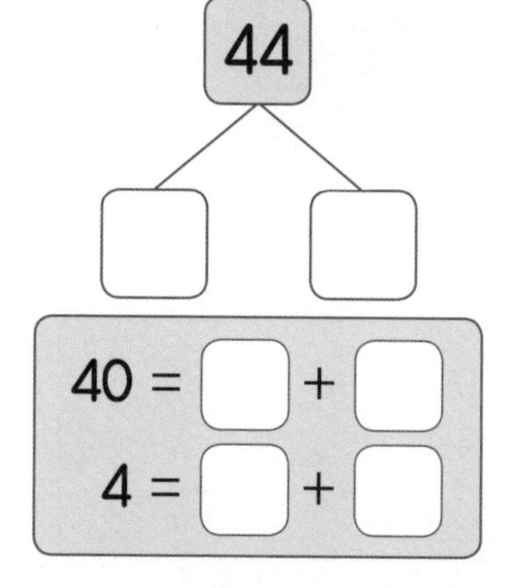

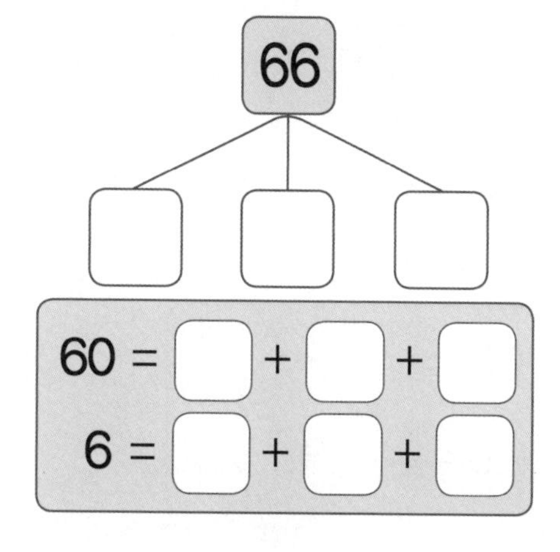

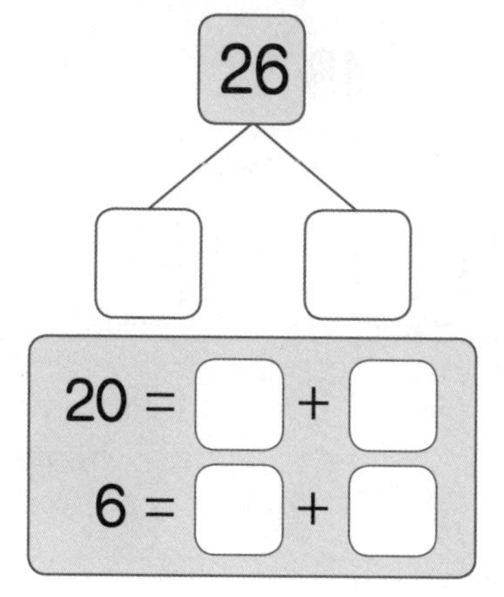

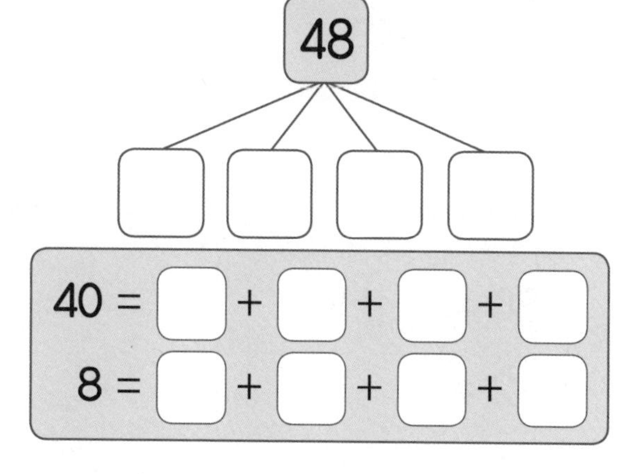

□ 안에 알맞은 수를 써넣으세요.

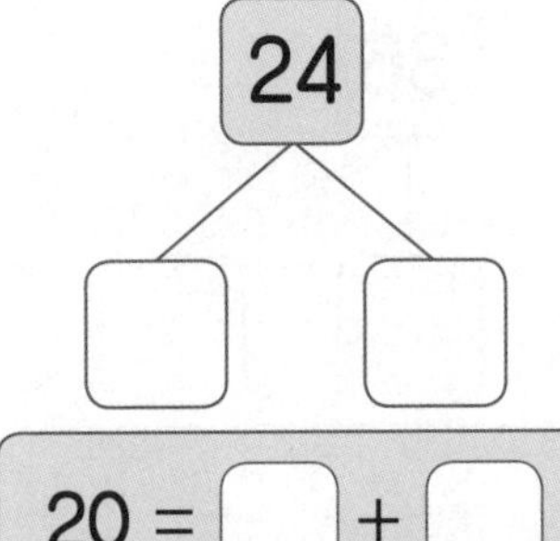

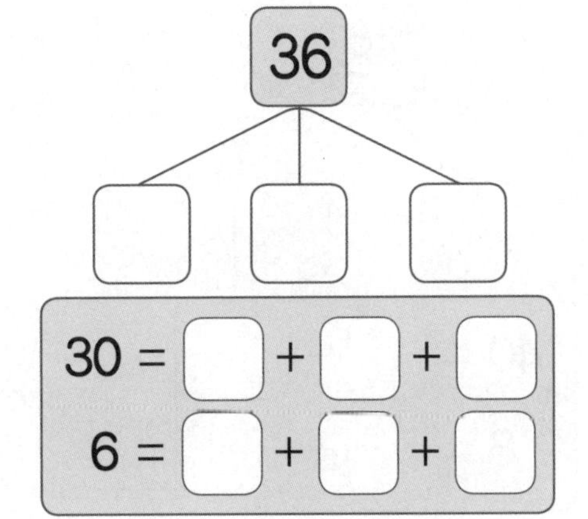

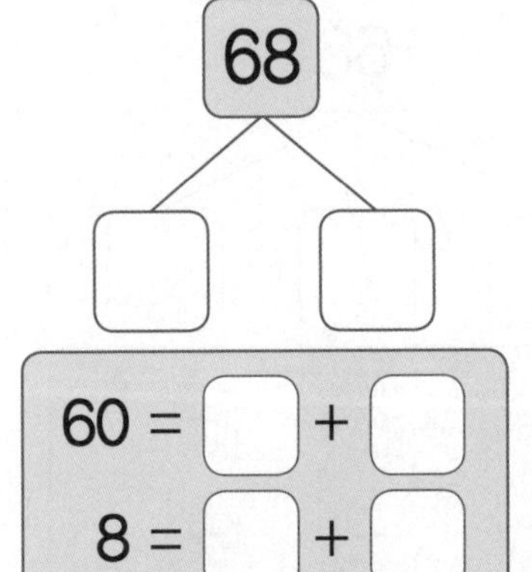

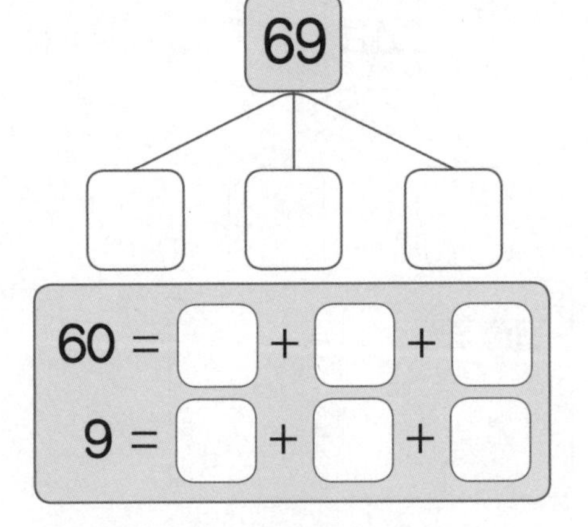

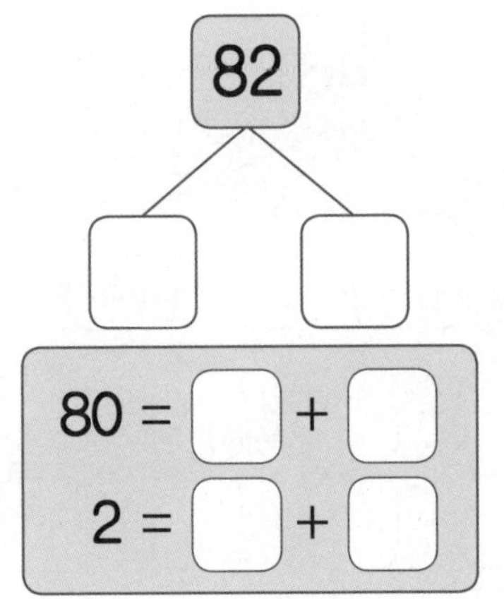

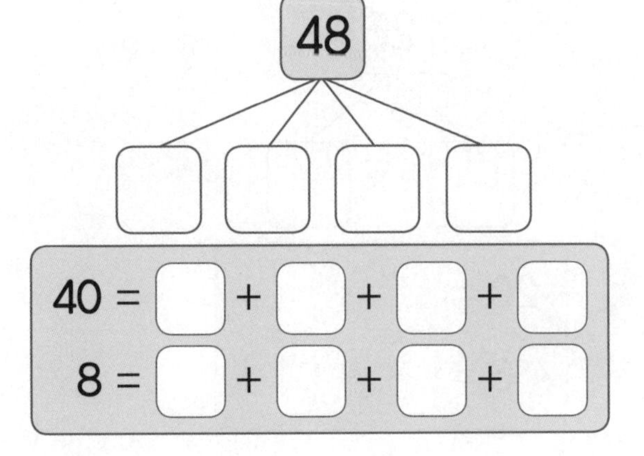

□ 안에 알맞은 수를 써넣으세요.

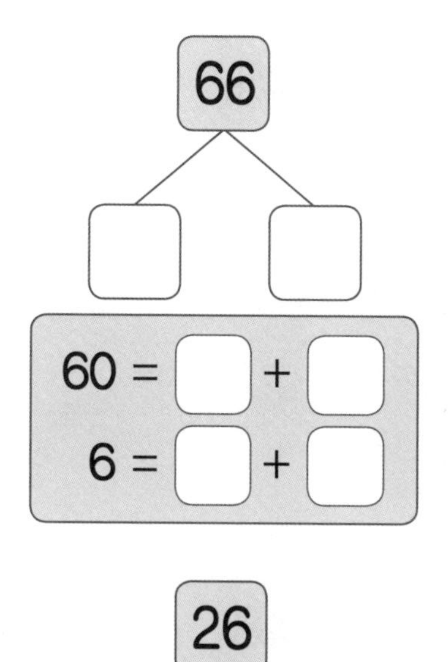

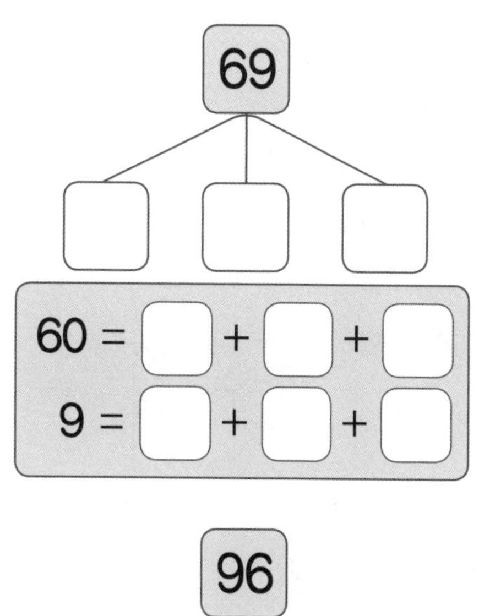

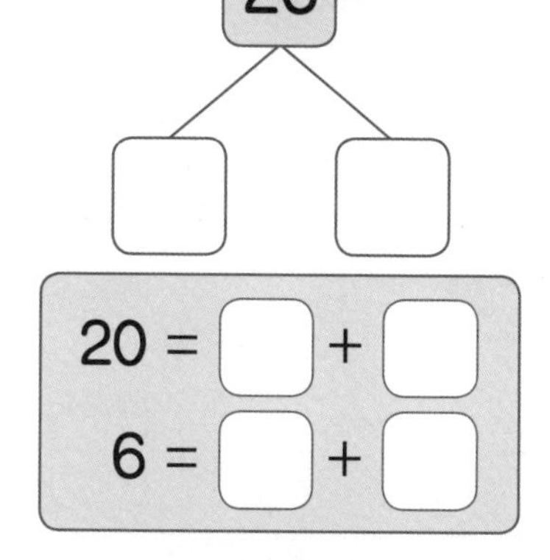

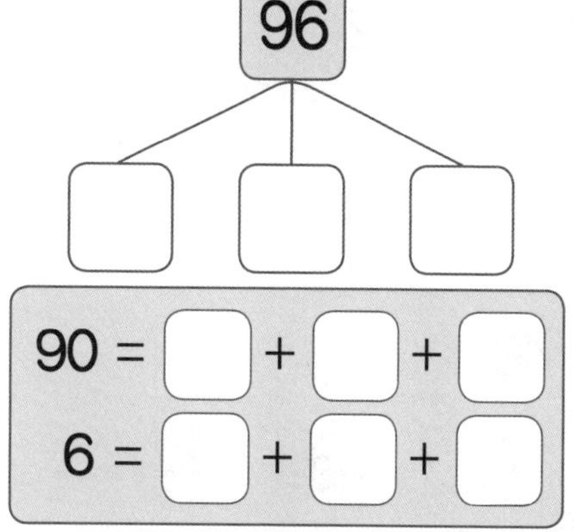

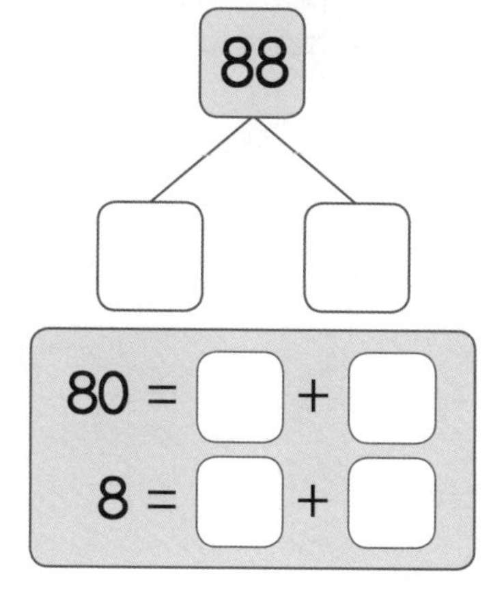

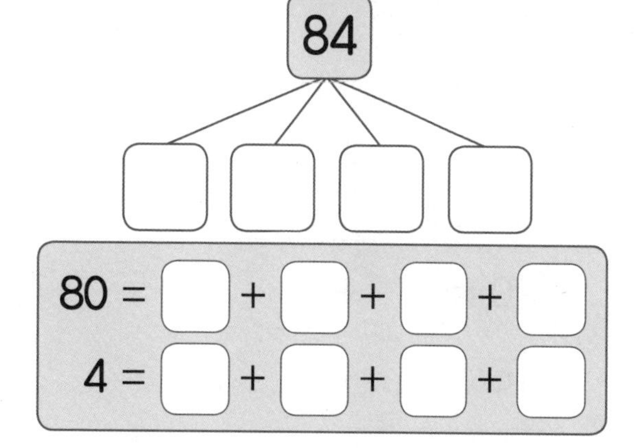

□ 안에 알맞은 수를 써넣으세요.

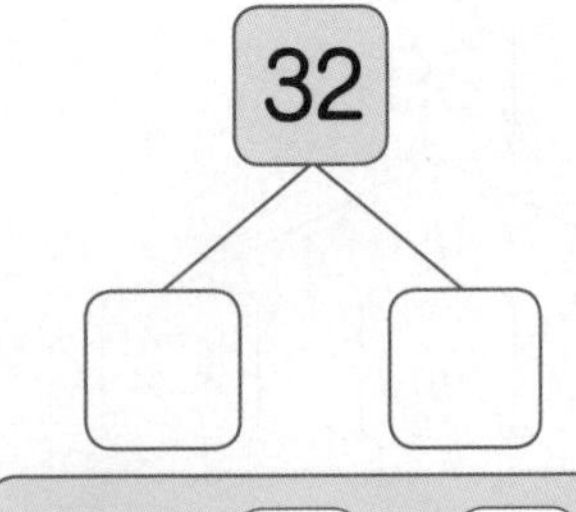

20 = □ + □

12 = □ + □

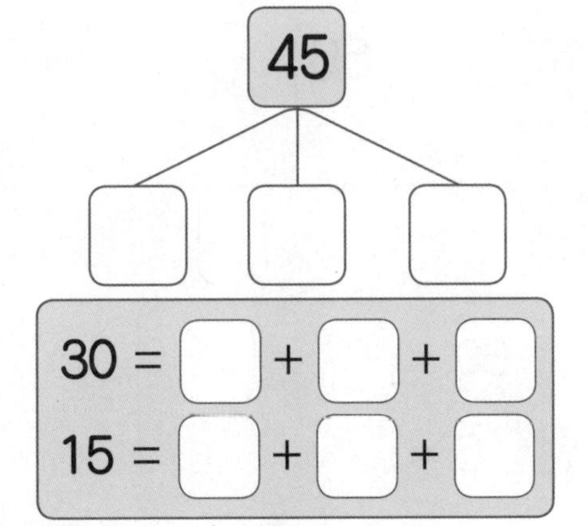

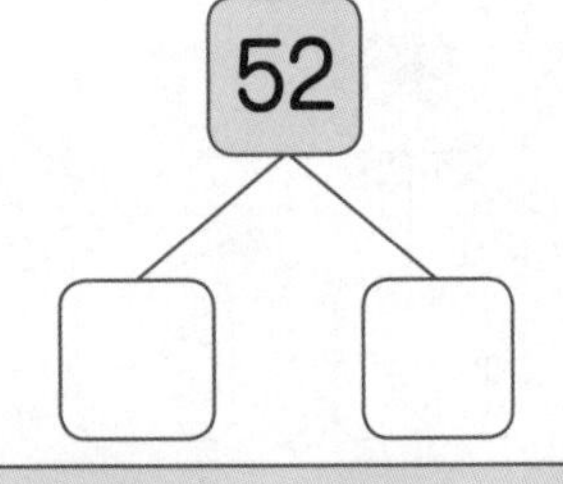

40 = □ + □

12 = □ + □

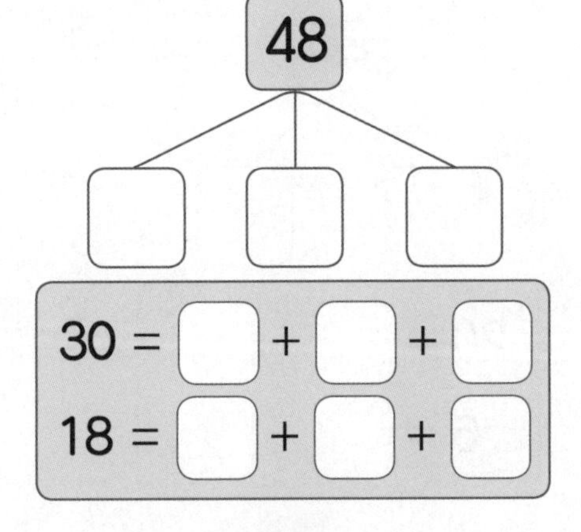

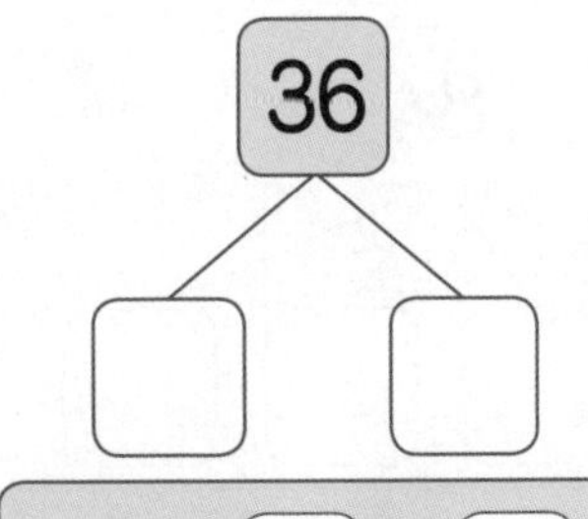

20 = □ + □

16 = □ + □

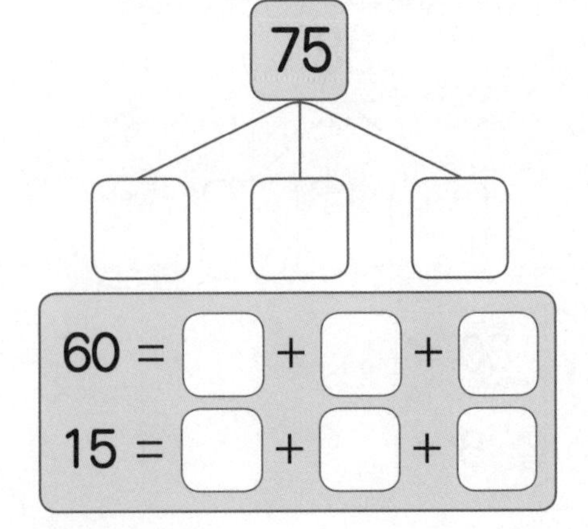

□ 안에 알맞은 수를 써넣으세요.

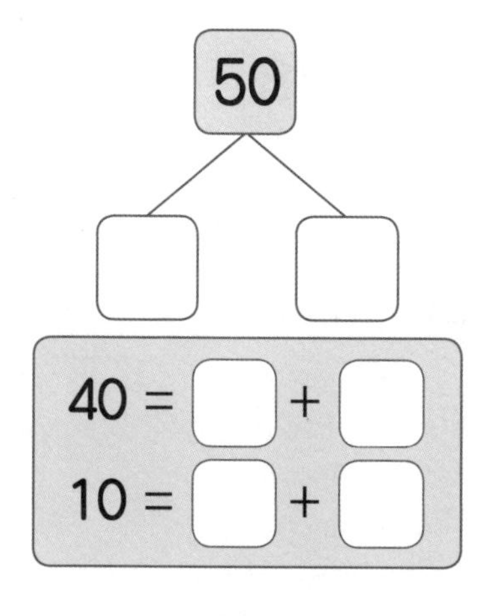

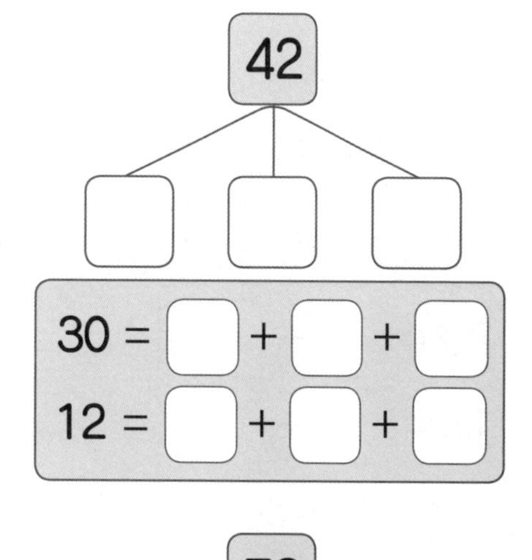

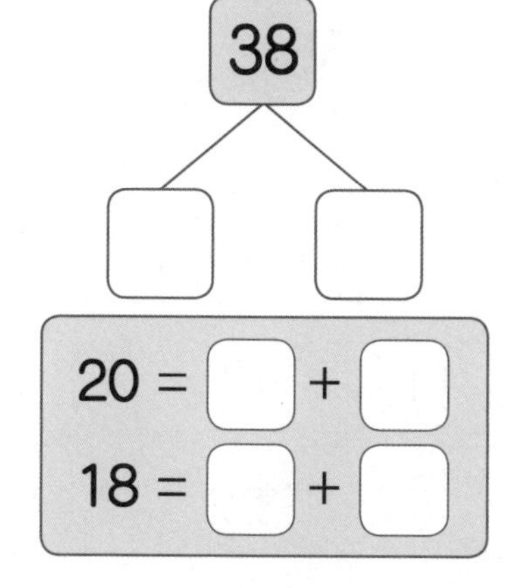

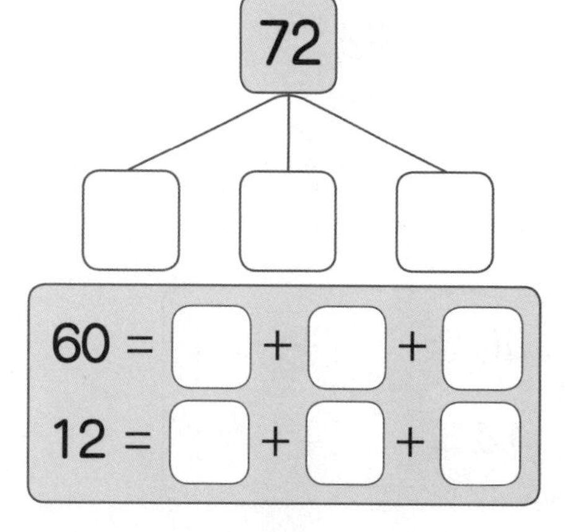

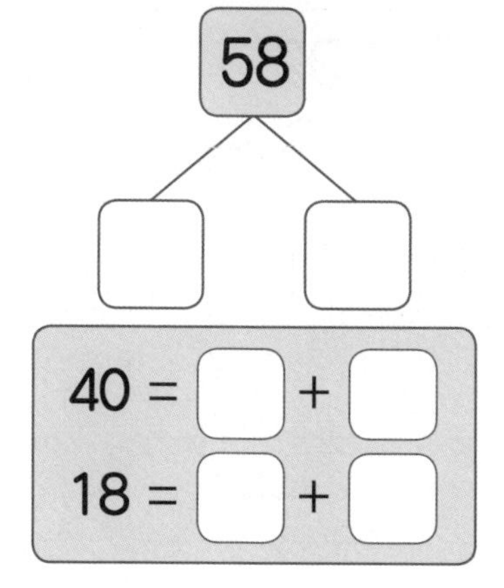

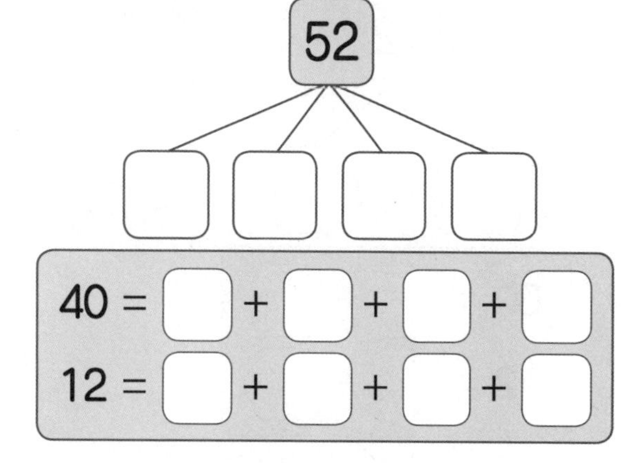

□ 안에 알맞은 수를 써넣으세요.

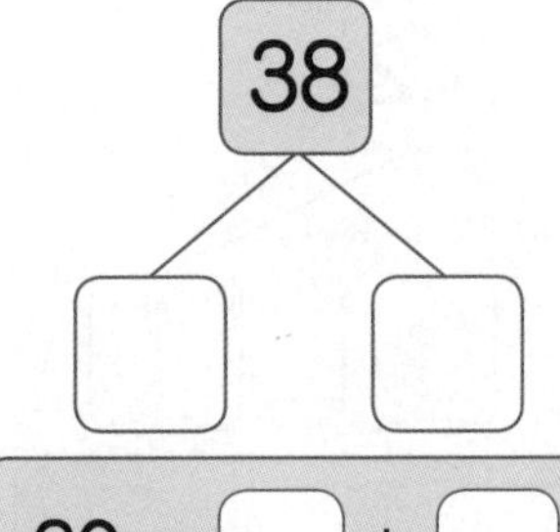

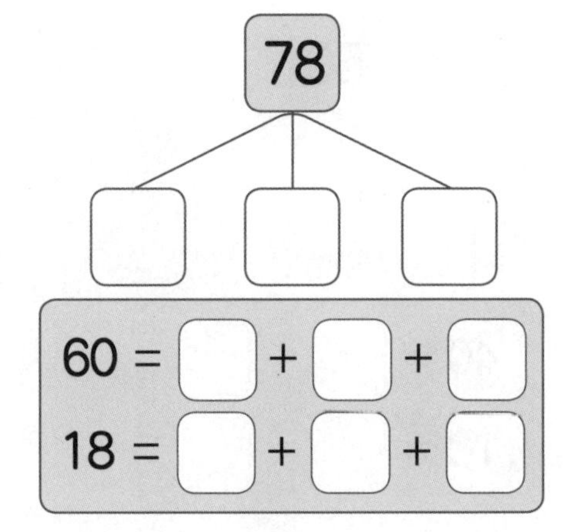

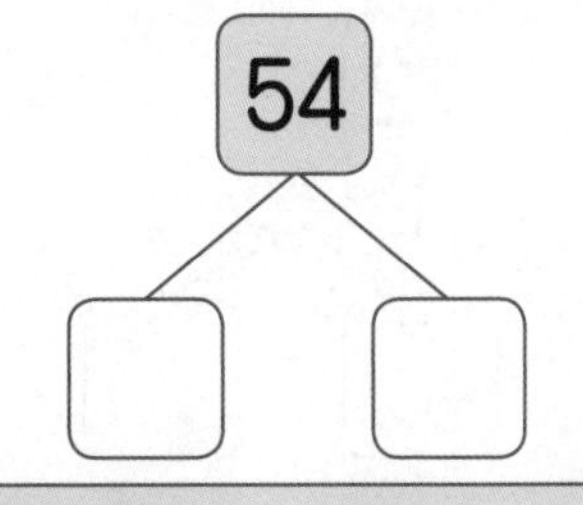

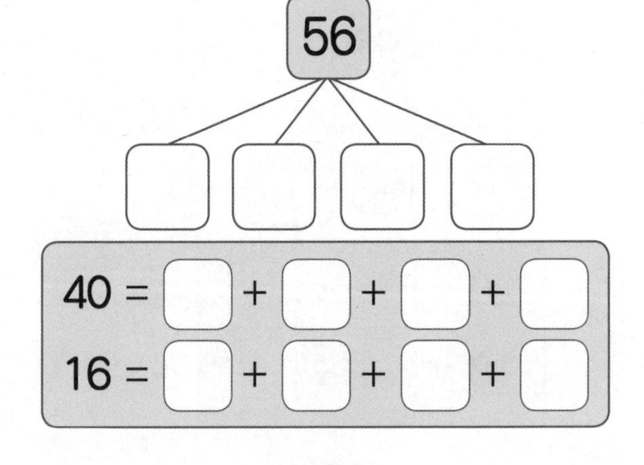

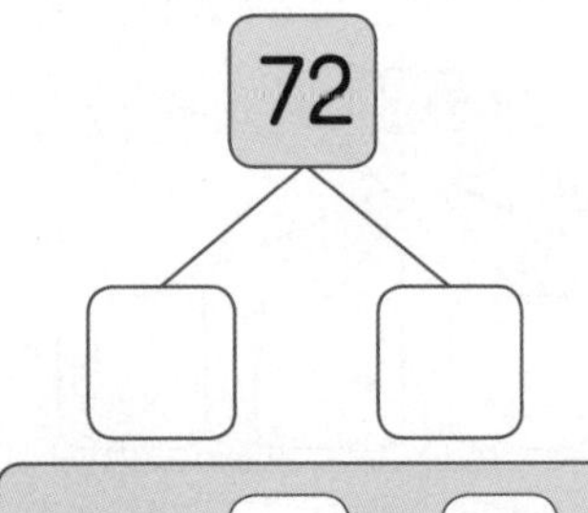

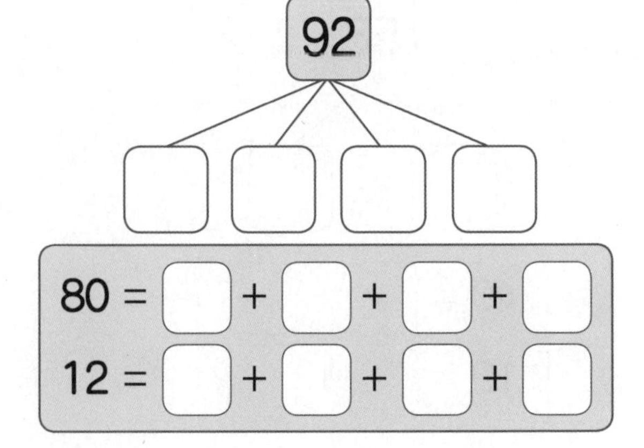

□ 안에 알맞은 수를 써넣으세요.

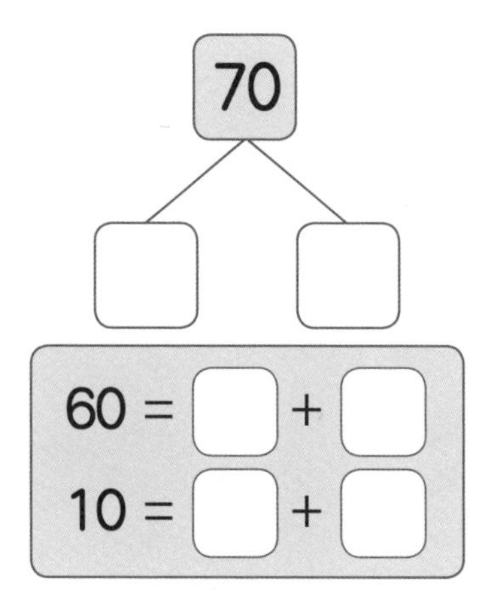

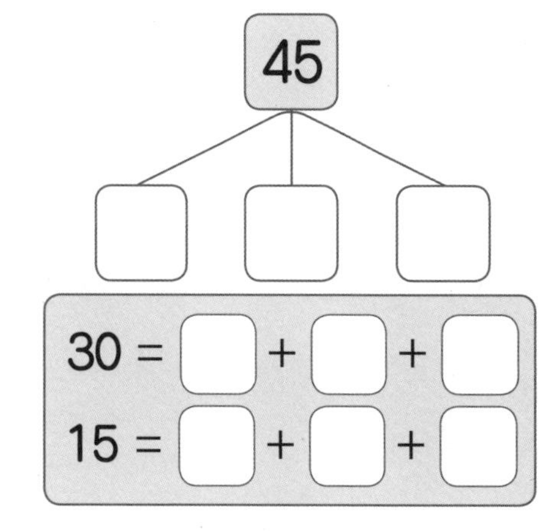

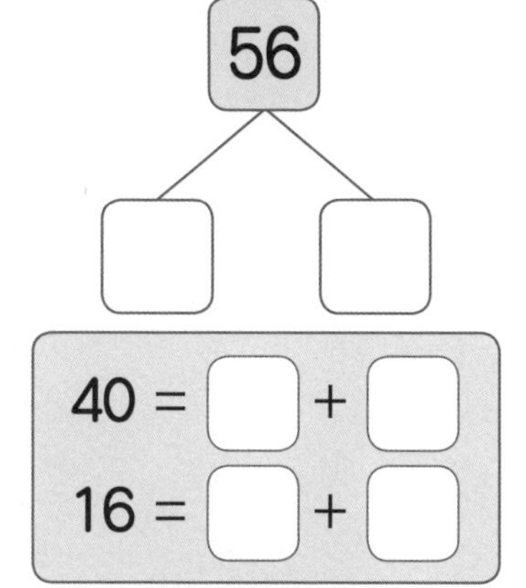

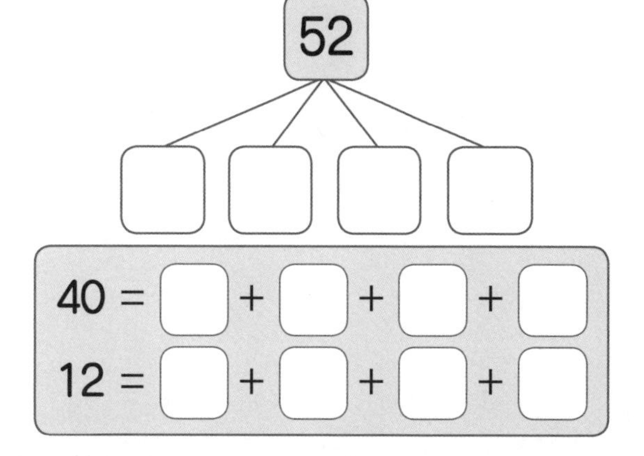

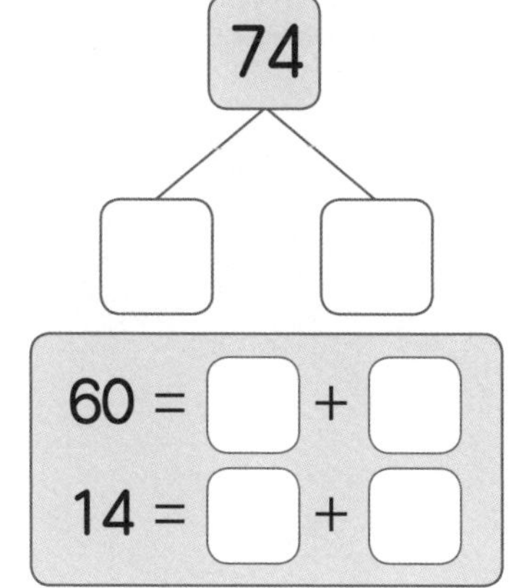

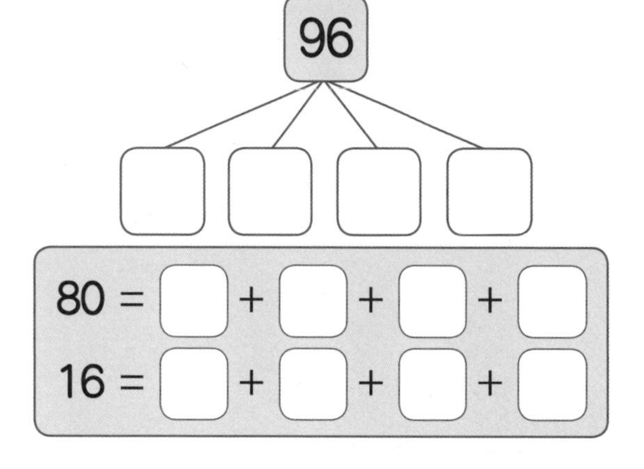

Note

소마의 마술같은 원리셈

정답

정답

P 10 ~ 11

1일차 똑같이 묶어 덜어 내기

1주

그림을 보고 주어진 수만큼 묶어 덜어 내고, 뺄셈식으로 나타내 보세요.

6에서 2씩 3번 덜어냅니다. ➡ 6에서 2씩 3번 빼면 0이 됩니다.

6 - 2 - 2 - 2 = 0

8에서 4씩 2번 덜어냅니다. ➡ 8에서 4씩 2번 빼면 0이 됩니다.

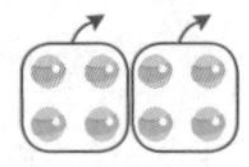

8 - 4 - 4 = 0

12에서 6씩 2번 덜어냅니다. ➡ 12에서 6씩 2번 빼면 0이 됩니다.

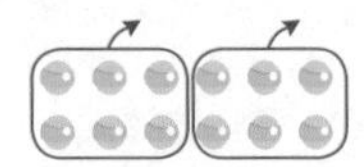

12 - 6 - 6 = 0

그림을 보고 주어진 수만큼 묶어 덜어내고, 뺄셈식으로 나타내 보세요.

10에서 2씩 5번 덜어냅니다. ➡ 10에서 2씩 5번 빼면 0이 됩니다.

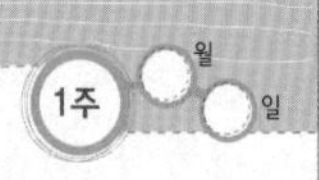

10 - 2 - 2 - 2 - 2 - 2 = 0

15에서 5씩 3번 덜어냅니다. ➡ 15에서 5씩 3번 빼면 0이 됩니다.

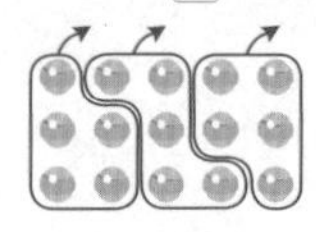

15 - 5 - 5 - 5 = 0

18에서 9씩 2번 덜어냅니다. ➡ 18에서 9씩 2번 빼면 0이 됩니다.

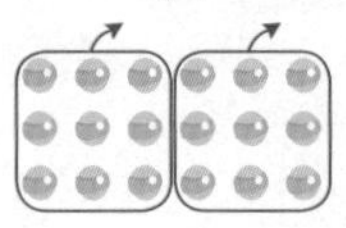

18 - 9 - 9 = 0

P 12 ~ 13

1주

그림을 보고 주어진 수만큼 묶어 덜어내고, 뺄셈식으로 나타내 보세요.

12에서 4씩 3번 덜어냅니다. ➡ 12에서 4씩 3번 빼면 0이 됩니다.

12 - 4 - 4 - 4 = 0

9에서 3씩 3번 덜어냅니다. ➡ 9에서 3씩 3번 빼면 0이 됩니다.

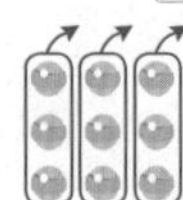

9 - 3 - 3 - 3 = 0

14에서 7씩 2번 덜어냅니다. ➡ 14에서 7씩 2번 빼면 0이 됩니다.

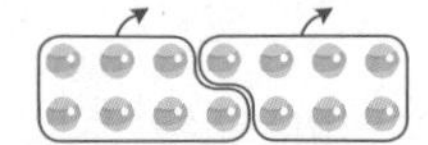

14 - 7 - 7 = 0

2일차 나눗셈식으로 나타내기

그림을 보고 뺄셈식을 이용하여 나눗셈식을 알아보세요.

6 - 2 - 2 - 2 = 0

3번

⬇

6 ÷ 2 = 3

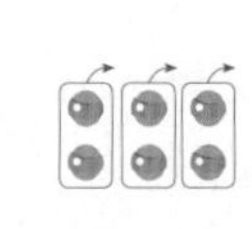

8 - 2 - 2 - 2 - 2 = 0

⬇

8 ÷ 2 = 4

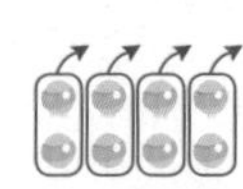

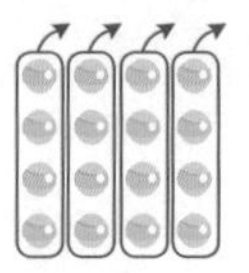

16 - 4 - 4 - 4 - 4 = 0

⬇

16 ÷ 4 = 4

TIP

똑같이 덜어 내는 나눗셈식에서는 몫이 횟수를 나타냅니다.
6÷2=3 → 6에서 2를 3번 덜어낼 수 있습니다.
→ 6에서 2를 3번 빼면 0이 됩니다.

그림을 보고 뺄셈식을 이용하여 나눗셈식을 알아보세요.

14 - 7 - 7 = 0
14 ÷ 7 = 2

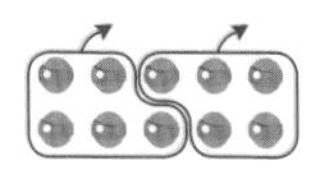

10 - 5 - 5 = 0
10 ÷ 5 = 2

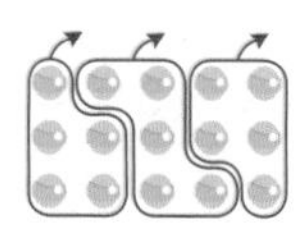

15 - 5 - 5 - 5 = 0
15 ÷ 5 = 3

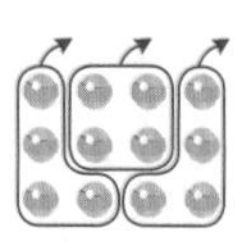

12 - 4 - 4 - 4 = 0
12 ÷ 4 = 3

□ 안에 알맞은 수를 써넣으세요.

20-4-4-4-4-4=0 → 20 ÷ 4 = 5

15-3-3-3-3-3=0 → 15 ÷ 3 = 5

27-9-9-9=0 → 27 ÷ 9 = 3

32-8-8-8-8=0 → 32 ÷ 8 = 4

18-3-3-3-3-3-3=0 → 18 ÷ 3 = 6

21-7-7-7=0 → 21 ÷ 7 = 3

P 14 ~ 15

□ 안에 알맞은 수를 써넣으세요.

30-5-5-5-5-5-5=0 → 30 ÷ 5 = 6

28-4-4-4-4-4-4-4=0 → 28 ÷ 4 = 7

36-6-6-6-6-6-6=0 → 36 ÷ 6 = 6

15-3-3-3-3-3=0 → 15 ÷ 3 = 5

20-5-5-5-5=0 → 20 ÷ 5 = 4

48-8-8-8-8-8-8=0 → 48 ÷ 8 = 6

나눗셈식 완성하기

곱셈식을 이용하여 나눗셈의 몫을 구하세요.

구슬 6개를 2개씩 한 묶음으로 만들면 모두 몇 묶음이 될까요?

2씩 3 묶음은 6개 — 2 × 3 = 6

6개를 2씩 나누면 3 묶음 — 6 ÷ 2 = 3

3씩 5 묶음은 15개 — 3 × 5 = 15

15개를 3씩 나누면 5 묶음 — 15 ÷ 3 = 5

4씩 6 묶음은 24개 — 4 × 6 = 24

24개를 4씩 나누면 6 묶음 — 24 ÷ 4 = 6

P 16 ~ 17

P 18 ~ 19

신나는 연산!

1주

곱셈식을 이용하여 나눗셈의 몫을 구하세요.

2씩 9 묶음은 18개 — 2 × 9 = 18
18개를 2씩 나누면 9 묶음 — 18 ÷ 2 = 9

4씩 8 묶음은 32개 — 4 × 8 = 32
32개를 4씩 나누면 8 묶음 — 32 ÷ 4 = 8

6씩 5 묶음은 30개 — 6 × 5 = 30
30개를 6씩 나누면 5 묶음 — 30 ÷ 6 = 5

5씩 7 묶음은 35개 — 5 × 7 = 35
35개를 5씩 나누면 7 묶음 — 35 ÷ 5 = 7

□ 안에 알맞은 수를 써넣으세요.

5 × 6 = 30
30 ÷ 5 = 6

4 × 7 = 28
28 ÷ 4 = 7

6 × 6 = 36
36 ÷ 6 = 6

3 × 6 = 18
18 ÷ 3 = 6

5 × 4 = 20
20 ÷ 5 = 4

8 × 6 = 48
48 ÷ 8 = 6

4 × 5 = 20
20 ÷ 4 = 5

9 × 3 = 27
27 ÷ 9 = 3

18 소마셈 – B7

1주 – 똑같이 묶어 덜어 내기 19

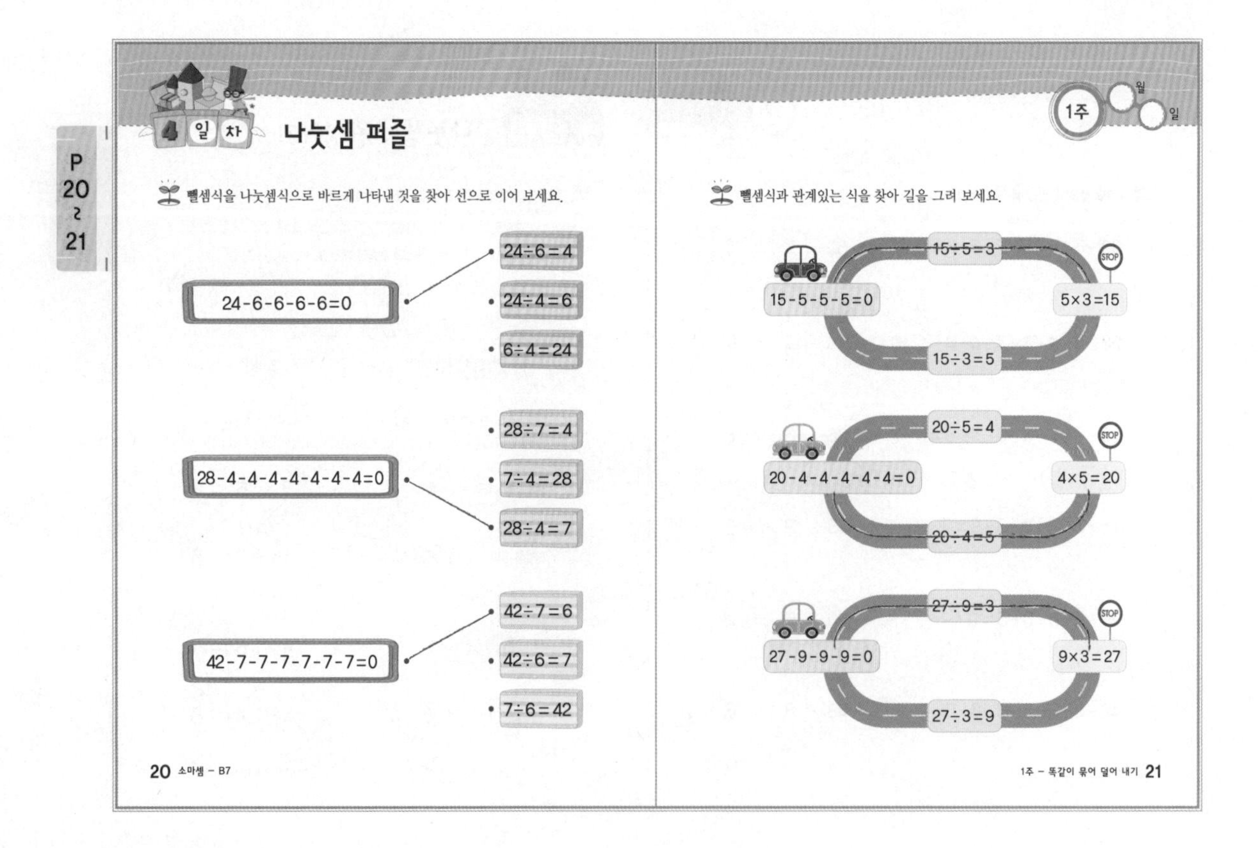
P 20 ~ 21

4 일차 나눗셈 퍼즐

1주 월 일

뺄셈식을 나눗셈식으로 바르게 나타낸 것을 찾아 선으로 이어 보세요.

24-6-6-6-6=0 — 24÷6=4
24÷4=6
6÷4=24

28-4-4-4-4-4-4-4=0 — 28÷4=7
28÷7=4
7÷4=28

42-7-7-7-7-7-7=0 — 42÷7=6
42÷6=7
7÷6=42

뺄셈식과 관계있는 식을 찾아 길을 그려 보세요.

15-5-5-5=0 — 15÷5=3 — 5×3=15
15÷3=5

20-4-4-4-4-4=0 — 20÷4=5 — 4×5=20
20÷5=4

27-9-9-9=0 — 27÷9=3 — 9×3=27
27÷3=9

20 소마셈 – B7

1주 – 똑같이 묶어 덜어 내기 21

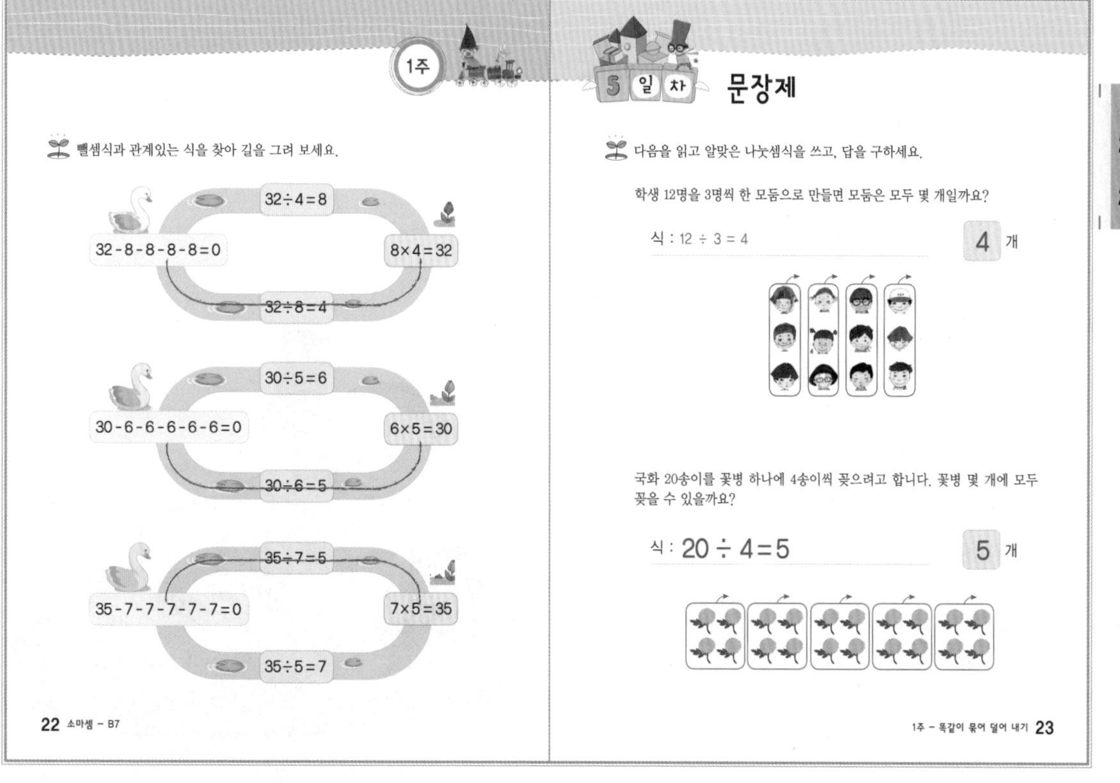

1주

5 일 차 문장제

빨셈식과 관계있는 식을 찾아 길을 그려 보세요.

32-8-8-8-8=0 / 32÷4=8 / 8×4=32 / 32÷8=4

30-6-6-6-6-6=0 / 30÷5=6 / 6×5=30 / 30÷6=5

35-7-7-7-7-7=0 / 35÷7=5 / 7×5=35 / 35÷5=7

다음을 읽고 알맞은 나눗셈식을 쓰고, 답을 구하세요.

학생 12명을 3명씩 한 모둠으로 만들면 모둠은 모두 몇 개일까요?

식 : 12 ÷ 3 = 4　　4 개

국화 20송이를 꽃병 하나에 4송이씩 꽂으려고 합니다. 꽃병 몇 개에 모두 꽂을 수 있을까요?

식 : 20 ÷ 4 = 5　　5 개

22 소마셈 - B7　　1주 - 똑같이 묶어 덜어 내기 23

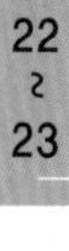

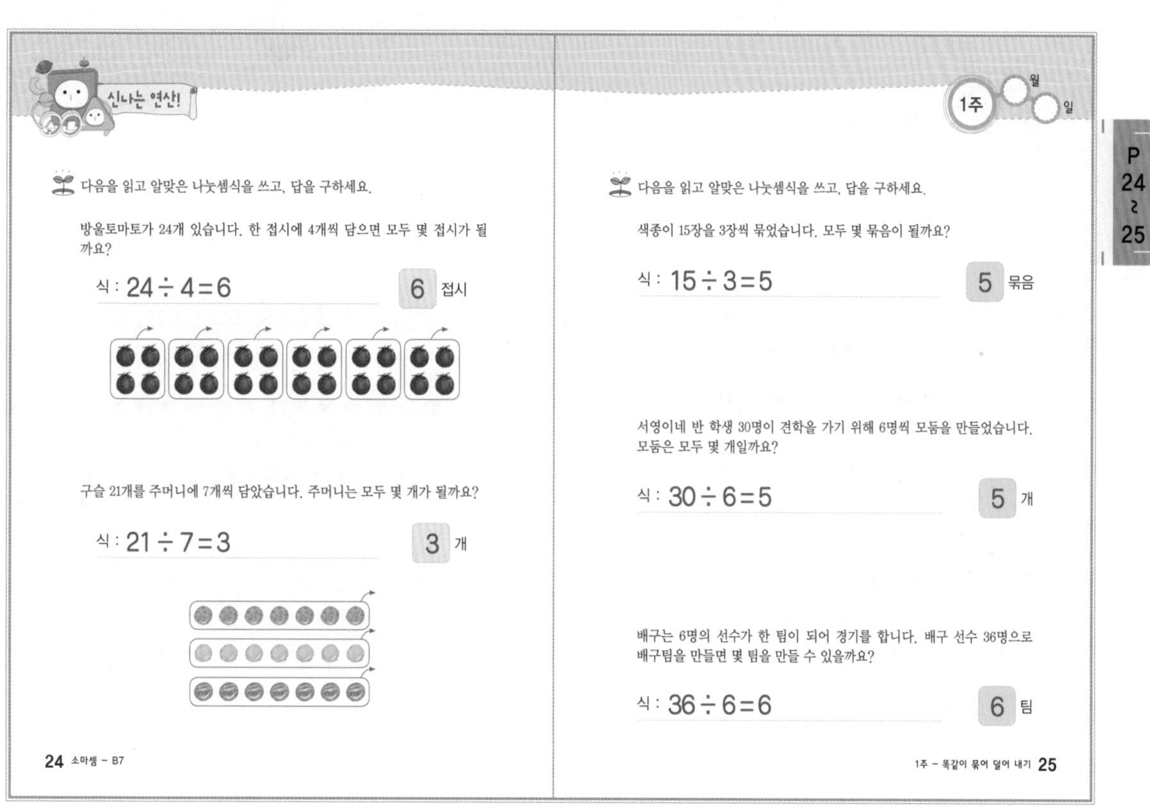

신나는 연산!

다음을 읽고 알맞은 나눗셈식을 쓰고, 답을 구하세요.

방울토마토가 24개 있습니다. 한 접시에 4개씩 담으면 모두 몇 접시가 될까요?

식 : 24 ÷ 4 = 6　　6 접시

구슬 21개를 주머니에 7개씩 담았습니다. 주머니는 모두 몇 개가 될까요?

식 : 21 ÷ 7 = 3　　3 개

1주 월 일

다음을 읽고 알맞은 나눗셈식을 쓰고, 답을 구하세요.

색종이 15장을 3장씩 묶었습니다. 모두 몇 묶음이 될까요?

식 : 15 ÷ 3 = 5　　5 묶음

서영이네 반 학생 30명이 견학을 가기 위해 6명씩 모둠을 만들었습니다. 모둠은 모두 몇 개일까요?

식 : 30 ÷ 6 = 5　　5 개

배구는 6명의 선수가 한 팀이 되어 경기를 합니다. 배구 선수 36명으로 배구팀을 만들면 몇 팀을 만들 수 있을까요?

식 : 36 ÷ 6 = 6　　6 팀

24 소마셈 - B7　　1주 - 똑같이 묶어 덜어 내기 25

P 24 ~ 25

정답

P 26

1주

다음을 읽고 알맞은 나눗셈식을 쓰고, 답을 구하세요.

채영이는 화분에 팬지 18송이를 심으려고 합니다. 한 화분에 3송이씩 심는다면 화분 몇 개에 꽃을 심을 수 있을까요?

식 : $18 \div 3 = 6$ 　 6 개

은진이는 친구들과 나누어 먹을 떡 21개를 한 봉지에 3개씩 포장하려고 합니다. 모두 몇 봉지에 담을 수 있을까요?

식 : $21 \div 3 = 7$ 　 7 봉지

야구공 32개를 한 상자에 8개씩 담으려고 합니다. 모두 몇 상자에 담을 수 있을까요?

식 : $32 \div 8 = 4$ 　 4 상자

26 소마셈 - B7

P 28 ~ 29

1일차 똑같게 나누기

하나씩 나누어 가지면서 한 곳에 몇 개씩인지 알아보세요.

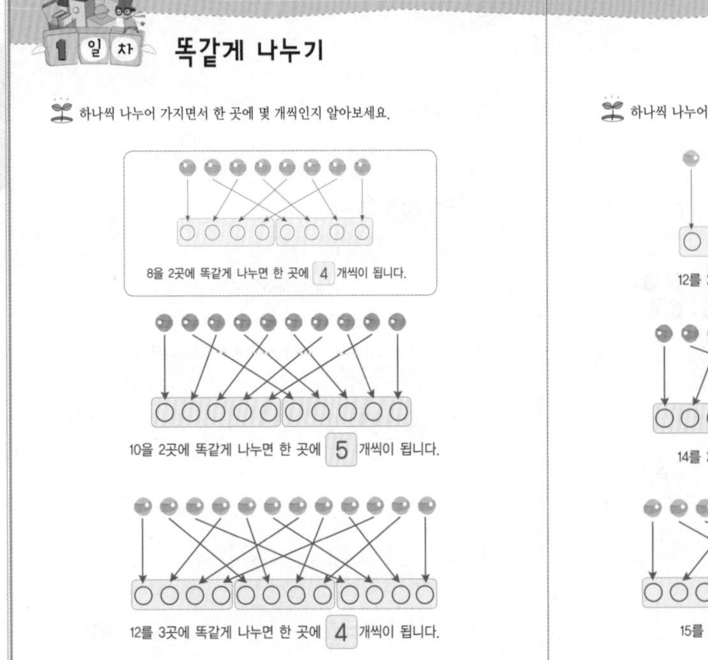

8을 2곳에 똑같게 나누면 한 곳에 4 개씩이 됩니다.

10을 2곳에 똑같게 나누면 한 곳에 5 개씩이 됩니다.

12를 3곳에 똑같게 나누면 한 곳에 4 개씩이 됩니다.

28 소마셈 - B7

2주 월 일

하나씩 나누어 가지면서 한 곳에 몇 개씩인지 알아보세요.

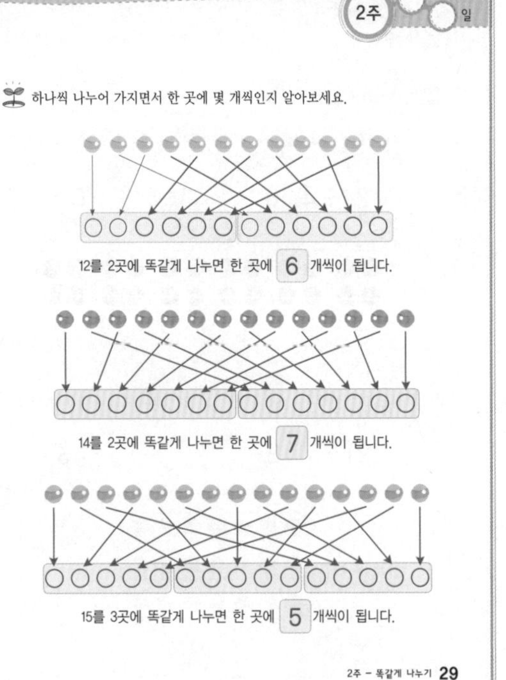

12를 2곳에 똑같게 나누면 한 곳에 6 개씩이 됩니다.

14를 2곳에 똑같게 나누면 한 곳에 7 개씩이 됩니다.

15를 3곳에 똑같게 나누면 한 곳에 5 개씩이 됩니다.

2주 - 똑같게 나누기 29

나눗셈식으로 나타내기

하나씩 나누어 가지면서 한 곳에 몇 개씩인지 알아보세요.

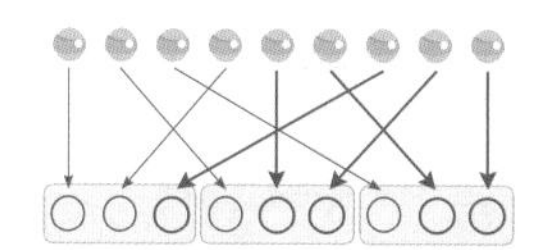

9를 3곳에 똑같게 나누면 한 곳에 3 개씩이 됩니다.

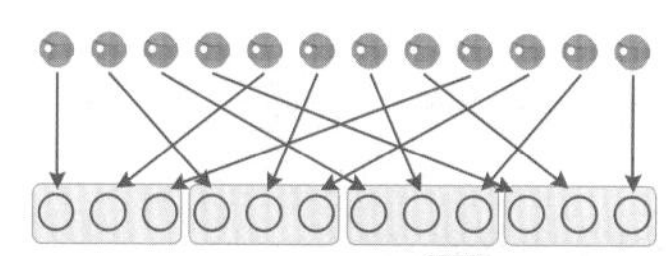

12를 4곳에 똑같게 나누면 한 곳에 3 개씩이 됩니다.

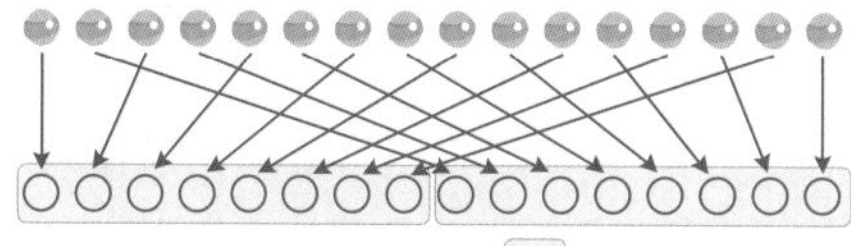

16을 2곳에 똑같게 나누면 한 곳에 8 개씩이 됩니다.

그림을 보고 □ 안에 알맞은 수를 써넣으세요.

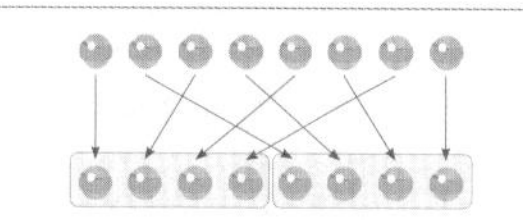

8을 2곳에 똑같게 나누면 한 곳에 4 개씩이 됩니다.

➡ 8 ÷ 2 = 4

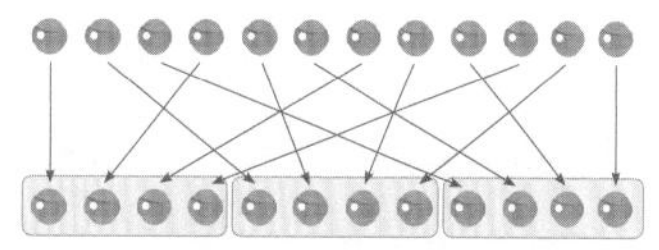

12를 3곳에 똑같게 나누면 한 곳에 4 개씩이 됩니다.

➡ 12 ÷ 3 = 4

똑같게 나누는 나눗셈식에서는 몫이 개수를 나타냅니다.
8÷2=4 → 8을 똑같이 2곳으로 나누면 한 곳에 4개씩이 됩니다.

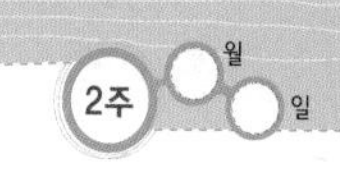

그림을 보고 □ 안에 알맞은 수를 써넣으세요.

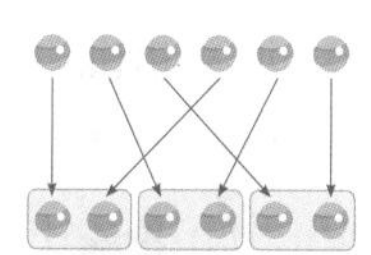

6을 3곳에 똑같게 나누면 한 곳에 2 개씩이 됩니다.

➡ 6 ÷ 3 = 2

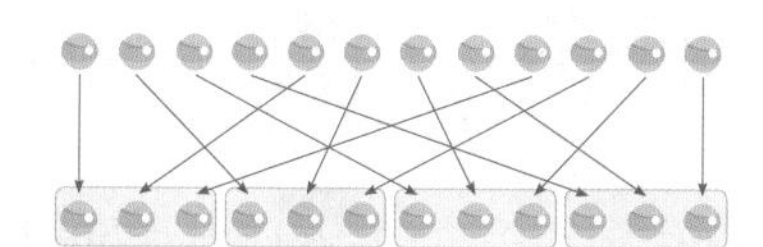

12를 4곳에 똑같게 나누면 한 곳에 3 개씩이 됩니다.

➡ 12 ÷ 4 = 3

□ 안에 알맞은 수를 써넣으세요.

18 ÷ 2 = 9

➡ 18을 2 곳에 똑같게 나누면 한 곳에 9 개씩이 됩니다.

12 ÷ 2 = 6

➡ 12를 2 곳에 똑같게 나누면 한 곳에 6 개씩이 됩니다.

24 ÷ 6 = 4

➡ 24를 6 곳에 똑같게 나누면 한 곳에 4 개씩이 됩니다.

32 ÷ 4 = 8

➡ 32를 4 곳에 똑같게 나누면 한 곳에 8 개씩이 됩니다.

36 ÷ 9 = 4

➡ 36을 9 곳에 똑같게 나누면 한 곳에 4 개씩이 됩니다.

P 34 ~ 35

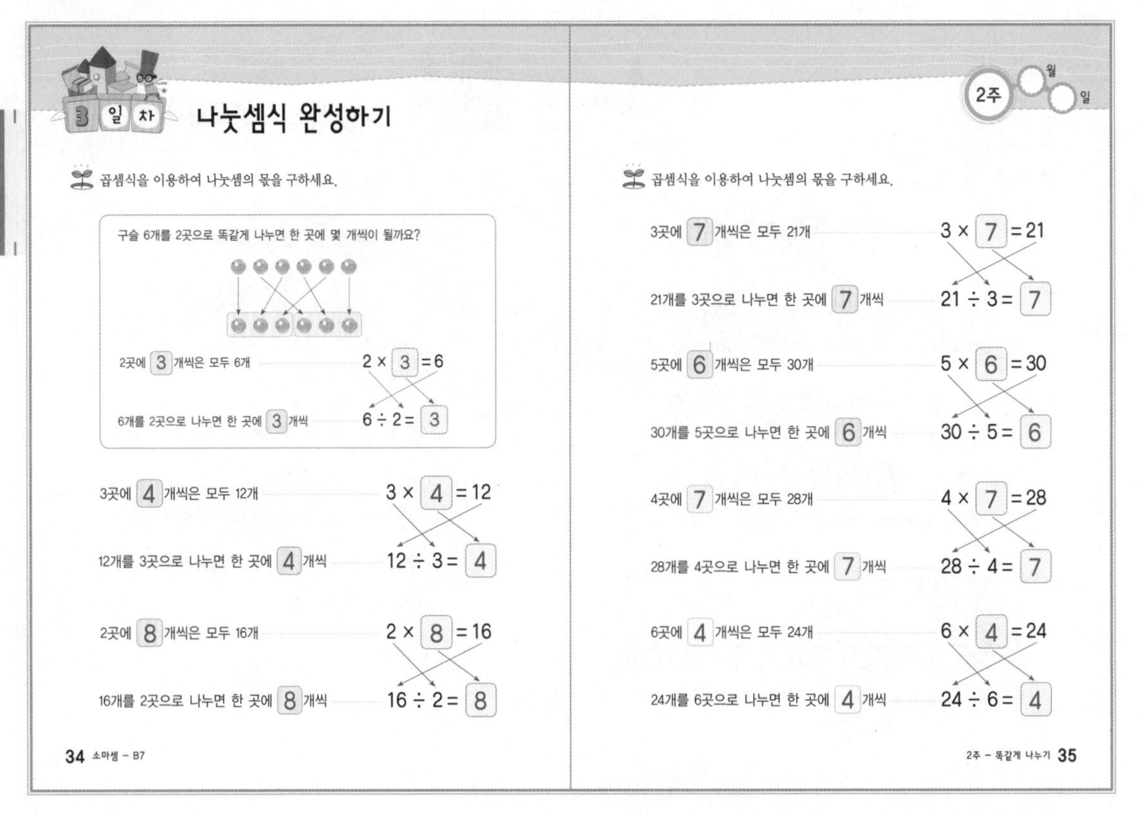

3 일 차 **나눗셈식 완성하기**

곱셈식을 이용하여 나눗셈의 몫을 구하세요.

구슬 6개를 2곳으로 똑같게 나누면 한 곳에 몇 개씩이 될까요?

2곳에 3 개씩은 모두 6개 ······ 2 × 3 = 6

6개를 2곳으로 나누면 한 곳에 3 개씩 ······ 6 ÷ 2 = 3

3곳에 4 개씩은 모두 12개 ······ 3 × 4 = 12

12개를 3곳으로 나누면 한 곳에 4 개씩 ······ 12 ÷ 3 = 4

2곳에 8 개씩은 모두 16개 ······ 2 × 8 = 16

16개를 2곳으로 나누면 한 곳에 8 개씩 ······ 16 ÷ 2 = 8

34 소마셈 – B7

2주 (월 일)

곱셈식을 이용하여 나눗셈의 몫을 구하세요.

3곳에 7 개씩은 모두 21개 ······ 3 × 7 = 21

21개를 3곳으로 나누면 한 곳에 7 개씩 ······ 21 ÷ 3 = 7

5곳에 6 개씩은 모두 30개 ······ 5 × 6 = 30

30개를 5곳으로 나누면 한 곳에 6 개씩 ······ 30 ÷ 5 = 6

4곳에 7 개씩은 모두 28개 ······ 4 × 7 = 28

28개를 4곳으로 나누면 한 곳에 7 개씩 ······ 28 ÷ 4 = 7

6곳에 4 개씩은 모두 24개 ······ 6 × 4 = 24

24개를 6곳으로 나누면 한 곳에 4 개씩 ······ 24 ÷ 6 = 4

2주 – 똑같게 나누기 35

P 36 ~ 37

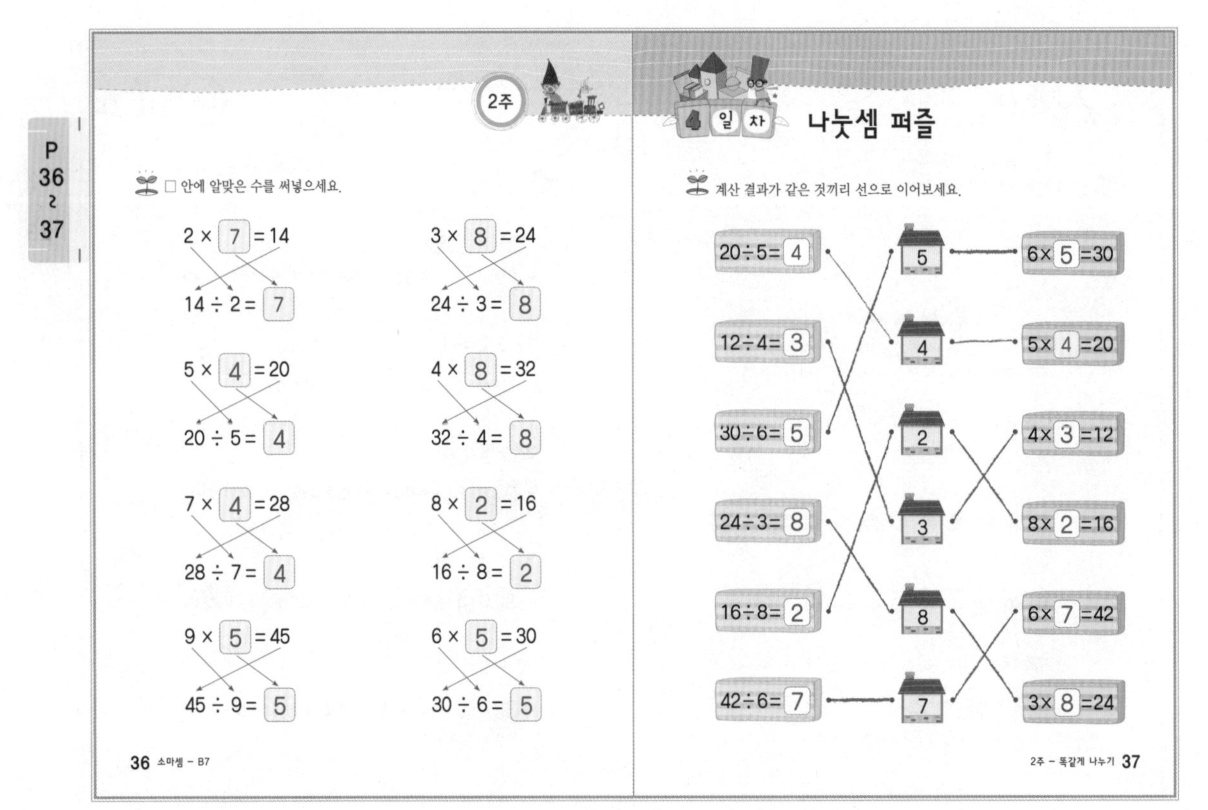

2주

□ 안에 알맞은 수를 써넣으세요.

2 × 7 = 14
14 ÷ 2 = 7

3 × 8 = 24
24 ÷ 3 = 8

5 × 4 = 20
20 ÷ 5 = 4

4 × 8 = 32
32 ÷ 4 = 8

7 × 4 = 28
28 ÷ 7 = 4

8 × 2 = 16
16 ÷ 8 = 2

9 × 5 = 45
45 ÷ 9 = 5

6 × 5 = 30
30 ÷ 6 = 5

36 소마셈 – B7

4 일 차 **나눗셈 퍼즐**

계산 결과가 같은 것끼리 선으로 이어보세요.

20÷5= 4 — 4 — 5× 4 =20

12÷4= 3 — 3 — 4× 3 =12

30÷6= 5 — 5 — 6× 5 =30

24÷3= 8 — 8 — 3× 8 =24

16÷8= 2 — 2 — 8× 2 =16

42÷6= 7 — 7 — 6× 7 =42

2주 – 똑같게 나누기 37

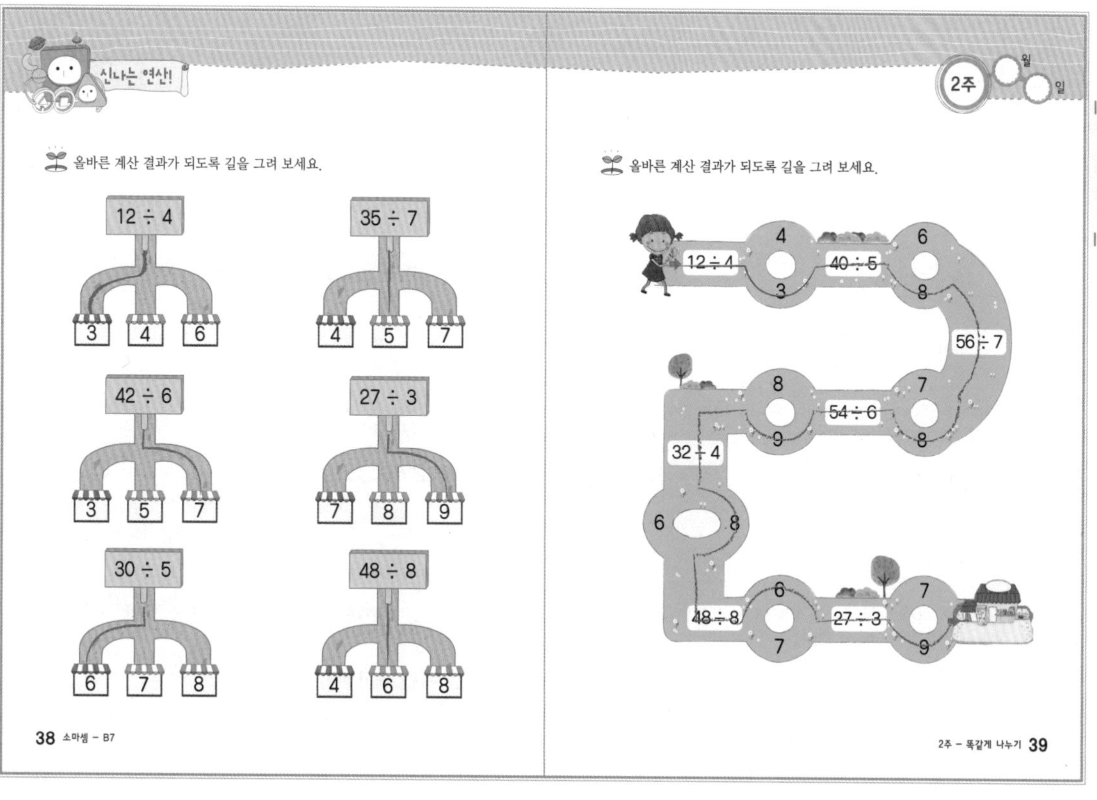

신나는 연산!

올바른 계산 결과가 되도록 길을 그려 보세요.

12 ÷ 4 — 3, 4, 6

35 ÷ 7 — 4, 5, 7

42 ÷ 6 — 3, 5, 7

27 ÷ 3 — 7, 8, 9

30 ÷ 5 — 6, 7, 8

48 ÷ 8 — 4, 6, 8

38 소마셈 - B7

2주 월 일

올바른 계산 결과가 되도록 길을 그려 보세요.

12 ÷ 4, 4, 3, 40 ÷ 5, 6, 8, 56 ÷ 7, 7, 8, 54 ÷ 6, 8, 9, 32 ÷ 4, 6, 8, 48 ÷ 8, 6, 7, 27 ÷ 3, 7, 9

2주 - 똑같게 나누기 39

P 38 ~ 39

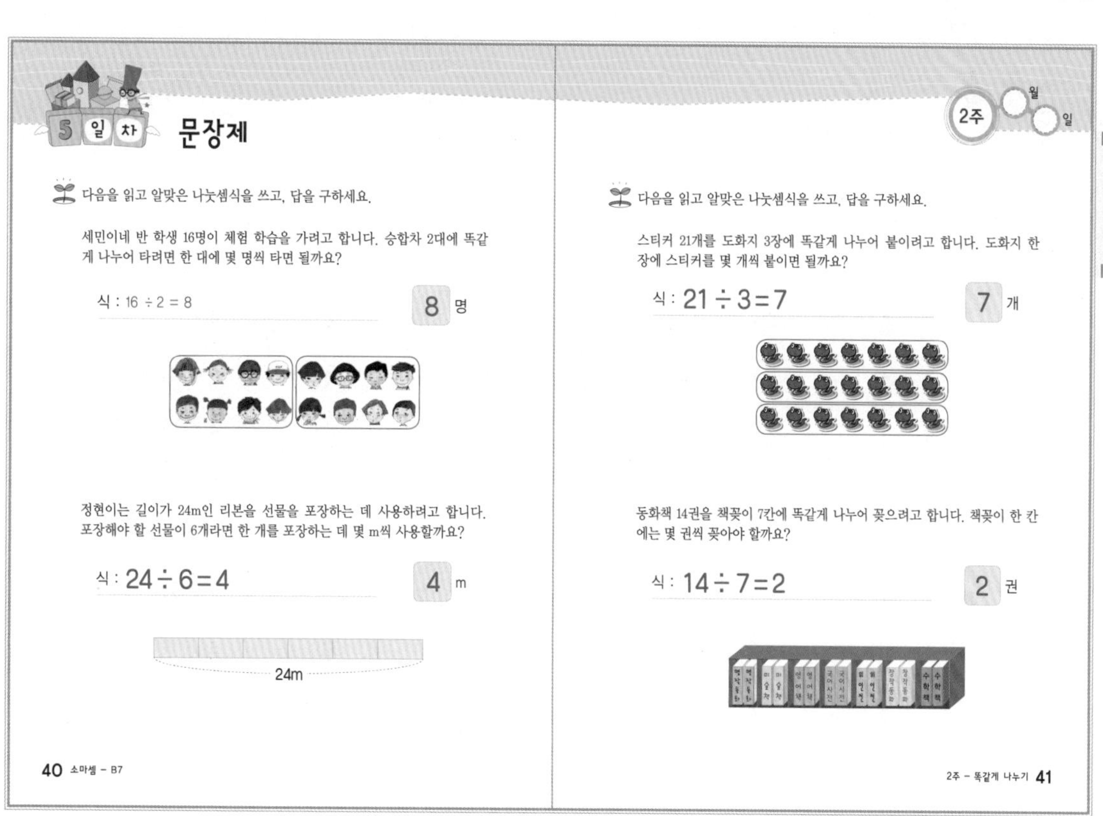

5일차 문장제

다음을 읽고 알맞은 나눗셈식을 쓰고, 답을 구하세요.

세민이네 반 학생 16명이 체험 학습을 가려고 합니다. 승합차 2대에 똑같게 나누어 타려면 한 대에 몇 명씩 타면 될까요?

식 : 16 ÷ 2 = 8　　8 명

정현이는 길이가 24m인 리본을 선물을 포장하는 데 사용하려고 합니다. 포장해야 할 선물이 6개라면 한 개를 포장하는 데 몇 m씩 사용할까요?

식 : 24 ÷ 6 = 4　　4 m

24m

40 소마셈 - B7

2주 월 일

다음을 읽고 알맞은 나눗셈식을 쓰고, 답을 구하세요.

스티커 21개를 도화지 3장에 똑같게 나누어 붙이려고 합니다. 도화지 한 장에 스티커를 몇 개씩 붙이면 될까요?

식 : 21 ÷ 3 = 7　　7 개

동화책 14권을 책꽂이 7칸에 똑같게 나누어 꽂으려고 합니다. 책꽂이 한 칸에는 몇 권씩 꽂아야 할까요?

식 : 14 ÷ 7 = 2　　2 권

2주 - 똑같게 나누기 41

P 40 ~ 41

P 42 ~ 43

신나는 연산!

2주

다음을 읽고 알맞은 나눗셈식을 쓰고, 답을 구하세요.

연필 18자루를 친구 3명에게 똑같게 나누어 주려고 합니다. 친구 한 명에게 연필을 몇 자루씩 나누어 줄 수 있을까요?

식 : $18 \div 3 = 6$ 　 6 자루

수현이는 풍선 42개를 가지고 있습니다. 친구 7명에게 똑같게 나누어 준다면 몇 개씩 나누어 줄 수 있을까요?

식 : $42 \div 7 = 6$ 　 6 개

지윤이는 구슬 24개를 3개의 주머니에 똑같게 나누어 담으려고 합니다. 주머니 한 개에 담긴 구슬은 몇 개일까요?

식 : $24 \div 3 = 8$ 　 8 개

42 소마셈 - B7

다음을 읽고 알맞은 나눗셈식을 쓰고, 답을 구하세요.

준형이는 35쪽짜리 수학문제집을 매일 같은 쪽수로 5일 동안 모두 풀려고 합니다. 하루에 몇 쪽씩 풀어야 할까요?

식 : $35 \div 5 = 7$ 　 7 쪽

길이가 27cm인 철사를 모두 이용하여 크기가 같은 정사각형 3개를 만들려고 합니다. 정사각형 한 개를 만드는데 몇 cm의 철사가 필요할까요?

식 : $27 \div 3 = 9$ 　 9 cm

희주는 사탕 32개를 가지고 있습니다. 친구 4명에게 똑같게 나누어 준다면 몇 개씩 나누어 줄 수 있을까요?

식 : $32 \div 4 = 8$ 　 8 개

2주 - 똑같게 나누기 43

P 46 ~ 47

2의 단, 4의 단

곱셈구구를 이용하여 2의 단 나눗셈을 해 보세요.

2 ÷ 2 = 1	2 × 1 = 2
4 ÷ 2 = 2	2 × 2 = 4
6 ÷ 2 = 3	2 × 3 = 6
8 ÷ 2 - 4	2 × 4 = 8
10 ÷ 2 = 5	2 × 5 = 10
12 ÷ 2 = 6	2 × 6 = 12
14 ÷ 2 = 7	2 × 7 = 14
16 ÷ 2 = 8	2 × 8 = 16
18 ÷ 2 = 9	2 × 9 = 18

46 소마셈 - B7

곱셈구구를 이용하여 4의 단 나눗셈을 해 보세요.

4 ÷ 4 = 1	4 × 1 = 4
8 ÷ 4 = 2	4 × 2 = 8
12 ÷ 4 = 3	4 × 3 = 12
16 ÷ 4 = 4	4 × 4 = 16
20 ÷ 4 = 5	4 × 5 = 20
24 ÷ 4 = 6	4 × 6 = 24
28 ÷ 4 = 7	4 × 7 = 28
32 ÷ 4 = 8	4 × 8 = 32
36 ÷ 4 = 9	4 × 9 = 36

3주 - 나눗셈구구 47

3주

2일차 5의 단, 9의 단

□ 안에 알맞은 수를 써넣으세요.

2× 4 = 8
8 ÷ 2 = 4

4× 5 = 20
20 ÷ 4 = 5

14 ÷ 2 = 7

18 ÷ 2 = 9

12 ÷ 4 = 3

28 ÷ 4 = 7

10 ÷ 2 = 5

16 ÷ 2 = 8

24 ÷ 4 = 6

32 ÷ 4 = 8

16 ÷ 4 = 4

36 ÷ 4 = 9

곱셈구구를 이용하여 5의 단 나눗셈을 해 보세요.

5 ÷ 5 = 1	5 × 1 = 5
10 ÷ 5 = 2	5 × 2 = 10
15 ÷ 5 = 3	5 × 3 = 15
20 ÷ 5 = 4	5 × 4 = 20
25 ÷ 5 = 5	5 × 5 = 25
30 ÷ 5 = 6	5 × 6 = 30
35 ÷ 5 = 7	5 × 7 = 35
40 ÷ 5 = 8	5 × 8 = 40
45 ÷ 5 = 9	5 × 9 = 45

곱셈구구를 이용하여 9의 단 나눗셈을 해 보세요.

9 ÷ 9 = 1	9 × 1 = 9
18 ÷ 9 = 2	9 × 2 = 18
27 ÷ 9 = 3	9 × 3 = 27
36 ÷ 9 = 4	9 × 4 = 36
45 ÷ 9 = 5	9 × 5 = 45
54 ÷ 9 = 6	9 × 6 = 54
63 ÷ 9 = 7	9 × 7 = 63
72 ÷ 9 = 8	9 × 8 = 72
81 ÷ 9 = 9	9 × 9 = 81

3주 월 일

□ 안에 알맞은 수를 써넣으세요.

5× 3 = 15
15 ÷ 5 = 3

9× 3 = 27
27 ÷ 9 = 3

18 ÷ 9 = 2

35 ÷ 5 = 7

40 ÷ 5 = 8

54 ÷ 9 = 6

45 ÷ 9 = 5

25 ÷ 5 = 5

63 ÷ 9 = 7

72 ÷ 9 = 8

40 ÷ 5 = 8

81 ÷ 9 = 9

P 52 ~ 53

3일차 3의 단, 6의 단

곱셈구구를 이용하여 3의 단 나눗셈을 해 보세요.

3 ÷ 3 = 1	3 × 1 = 3
6 ÷ 3 = 2	3 × 2 = 6
9 ÷ 3 = 3	3 × 3 = 9
12 ÷ 3 = 4	3 × 4 = 12
15 ÷ 3 = 5	3 × 5 = 15
18 ÷ 3 = 6	3 × 6 = 18
21 ÷ 3 = 7	3 × 7 = 21
24 ÷ 3 = 8	3 × 8 = 24
27 ÷ 3 = 9	3 × 9 = 27

52 소마셈 - B7

3주 월 일

곱셈구구를 이용하여 6의 단 나눗셈을 해 보세요.

6 ÷ 6 = 1	6 × 1 = 6
12 ÷ 6 = 2	6 × 2 = 12
18 ÷ 6 = 3	6 × 3 = 18
24 ÷ 6 = 4	6 × 4 = 24
30 ÷ 6 = 5	6 × 5 = 30
36 ÷ 6 = 6	6 × 6 = 36
42 ÷ 6 = 7	6 × 7 = 42
48 ÷ 6 = 8	6 × 8 = 48
54 ÷ 6 = 9	6 × 9 = 54

3주 - 나눗셈구구 53

P 54 ~ 55

3주

□ 안에 알맞은 수를 써넣으세요.

3× 6 = 18
18 ÷ 3 = 6

6× 5 = 30
30 ÷ 6 = 5

24 ÷ 6 = 4

12 ÷ 3 = 4

36 ÷ 6 = 6

24 ÷ 3 = 8

15 ÷ 3 = 5

48 ÷ 6 = 8

54 ÷ 6 = 9

27 ÷ 3 = 9

18 ÷ 6 = 3

42 ÷ 6 = 7

54 소마셈 - B7

4일차 7의 단, 8의 단

곱셈구구를 이용하여 7의 단 나눗셈을 해 보세요.

7 ÷ 7 = 1	7 × 1 = 7
14 ÷ 7 = 2	7 × 2 = 14
21 ÷ 7 = 3	7 × 3 = 21
28 ÷ 7 = 4	7 × 4 = 28
35 ÷ 7 = 5	7 × 5 = 35
42 ÷ 7 = 6	7 × 6 = 42
49 ÷ 7 = 7	7 × 7 = 49
56 ÷ 7 = 8	7 × 8 = 56
63 ÷ 7 = 9	7 × 9 = 63

3주 - 나눗셈구구 55

3주 월 일

P 56 ~ 57

곱셈구구를 이용하여 8의 단 나눗셈을 해 보세요.

8 ÷ 8 = 1	8 × 1 = 8
16 ÷ 8 = 2	8 × 2 = 16
24 ÷ 8 = 3	8 × 3 = 24
32 ÷ 8 = 4	8 × 4 = 32
40 ÷ 8 = 5	8 × 5 = 40
48 ÷ 8 = 6	8 × 6 = 48
56 ÷ 8 = 7	8 × 7 = 56
64 ÷ 8 = 8	8 × 8 = 64
72 ÷ 8 = 9	8 × 9 = 72

□ 안에 알맞은 수를 써넣으세요.

7 × 5 = 35
35 ÷ 7 = 5

8 × 2 = 16
16 ÷ 8 = 2

42 ÷ 7 = 6

21 ÷ 7 = 3

40 ÷ 8 = 5

24 ÷ 8 = 3

28 ÷ 7 = 4

72 ÷ 8 = 9

32 ÷ 8 = 4

49 ÷ 7 = 7

64 ÷ 8 = 8

63 ÷ 7 = 9

5일차 문장제

3주 월 일

P 58 ~ 59

다음을 읽고 알맞은 나눗셈식을 쓰고, 답을 구하세요.

쿠키 20개를 접시 하나에 5개씩 담으려고 합니다. 접시 몇 개가 필요할까요?

식 : 20 ÷ 5 = 4 　 4 개

딸기 18개를 6명이 똑같게 나누어 가지려고 합니다. 한 명이 몇 개씩 가지게 될까요?

식 : 18 ÷ 6 = 3 　 3 개

다음을 읽고 알맞은 나눗셈식을 쓰고, 답을 구하세요.

길이가 35cm인 철사를 모두 이용하여 크기가 같은 정삼각형 7개를 만들려고 합니다. 정삼각형 한 개를 만드는데 몇 cm의 철사가 필요할까요?

식 : 35 ÷ 7 = 5 　 5 cm

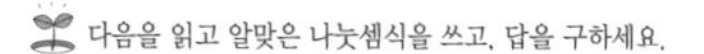

동화책 15권을 책꽂이에 꽂으려고 합니다. 한 칸에 3권씩 꽂으면 모두 몇 칸에 책을 꽂을 수 있을까요?

식 : 15 ÷ 3 = 5 　 5 칸

P 60 ~ 61

다음을 읽고 알맞은 나눗셈식을 쓰고, 답을 구하세요.

긴 의자 하나에 6명이 앉을 수 있습니다. 윤주네 반 학생 36명이 모두 앉으려면 긴 의자는 모두 몇 개 필요할까요?

식 : $36 \div 6 = 6$ 　 6 개

무게가 같은 지우개 4개가 있습니다. 무게를 재어 보니 32g이라고 합니다. 지우개 한 개의 무게는 몇 g일까요?

식 : $32 \div 4 = 8$ 　 8 g

체육 시간에 뜀틀 넘기를 하기 위해 학생 40명이 5줄로 서 있습니다. 한 줄에는 몇 명씩 서 있을까요?

식 : $40 \div 5 = 8$ 　 8 명

다음을 읽고 알맞은 나눗셈식을 쓰고, 답을 구하세요.

한 식탁에 의자가 6개씩 놓여 있습니다. 의자가 48개이면 식탁은 모두 몇 개일까요?

식 : $48 \div 6 = 8$ 　 8 개

수박 28통을 상자 7개에 똑같이 나누어 담으려고 합니다. 한 상자에 몇 통씩 담으면 될까요?

식 : $28 \div 7 = 4$ 　 4 통

엄마가 달걀 35개를 사 오셨습니다. 이 달걀을 일주일 동안 매일 같은 수만큼 먹으려면 하루에 몇 개씩 먹어야 할까요?

식 : $35 \div 7 = 5$ 　 5 개

P 64 ~ 65

1 일 차

몇십을 똑같게 가르기

그림을 보고 똑같게 가르기 하여 □ 안에 알맞은 수를 써넣으세요.

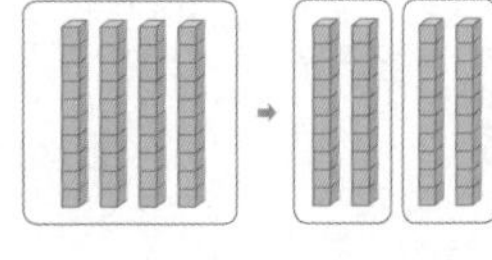
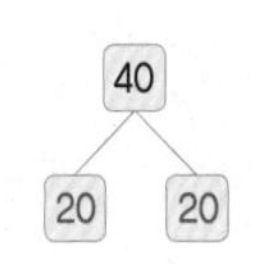

40 → 20, 20

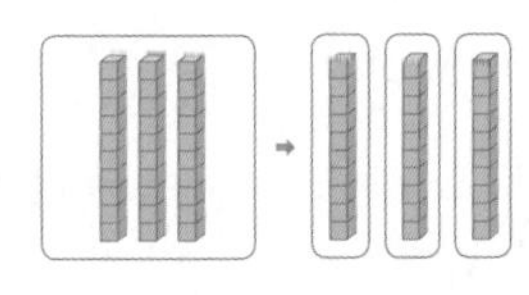
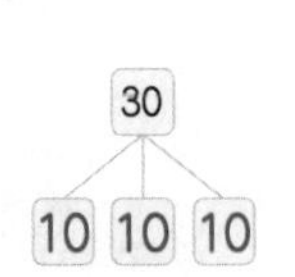

30 → 10, 10, 10

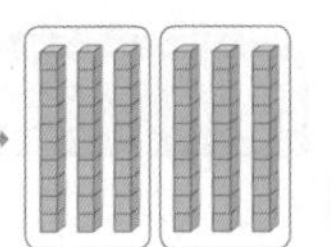
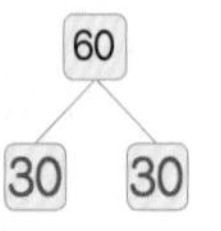

60 → 30, 30

똑같게 가르기 하여 □ 안에 알맞은 수를 써넣으세요.

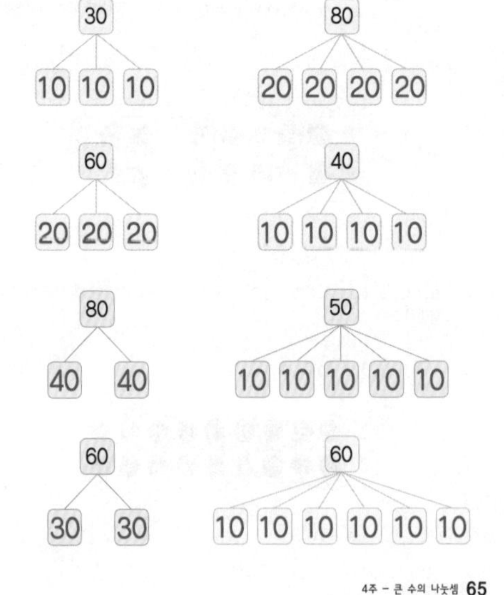

P 66 ~ 67

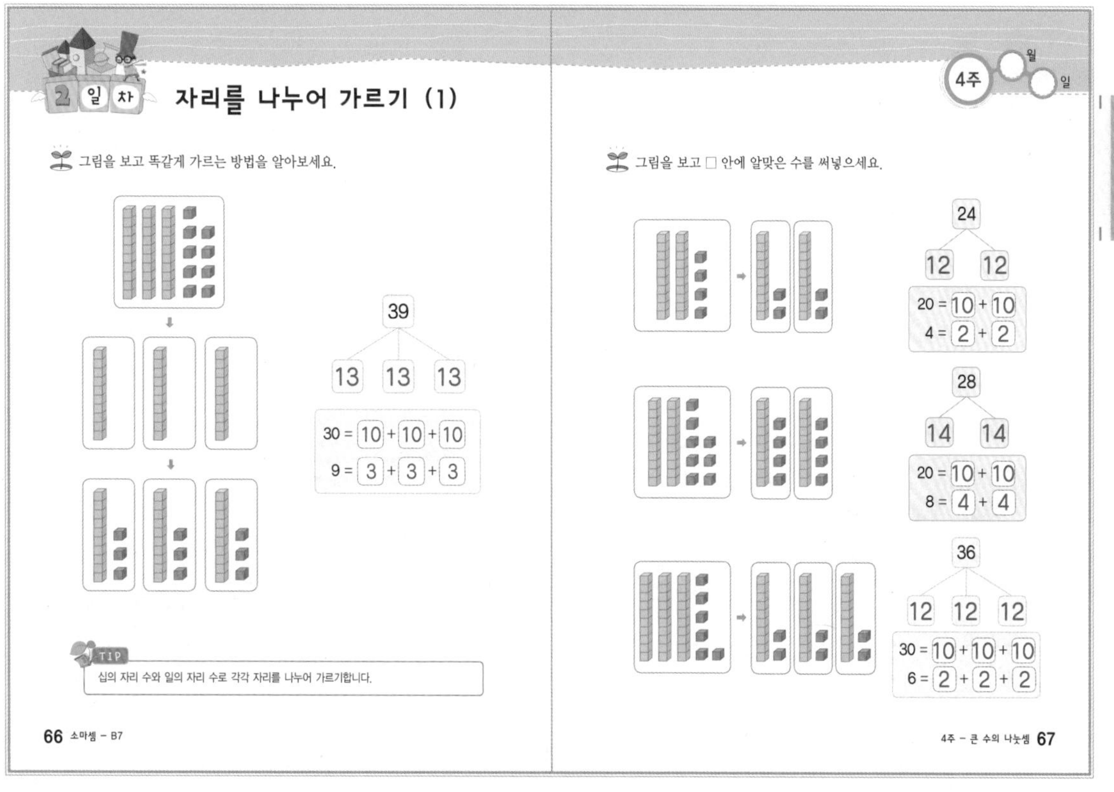
2일차 자리를 나누어 가르기 (1)

그림을 보고 똑같게 가르는 방법을 알아보세요.

39
13 13 13
30 = 10 + 10 + 10
9 = 3 + 3 + 3

TIP
십의 자리 수와 일의 자리 수로 각각 자리를 나누어 가르기합니다.

66 소마셈 - B7

4주 월 일

그림을 보고 □ 안에 알맞은 수를 써넣으세요.

24
12 12
20 = 10 + 10
4 = 2 + 2

28
14 14
20 = 10 + 10
8 = 4 + 4

36
12 12 12
30 = 10 + 10 + 10
6 = 2 + 2 + 2

4주 - 큰 수의 나눗셈 67

P 68 ~ 69

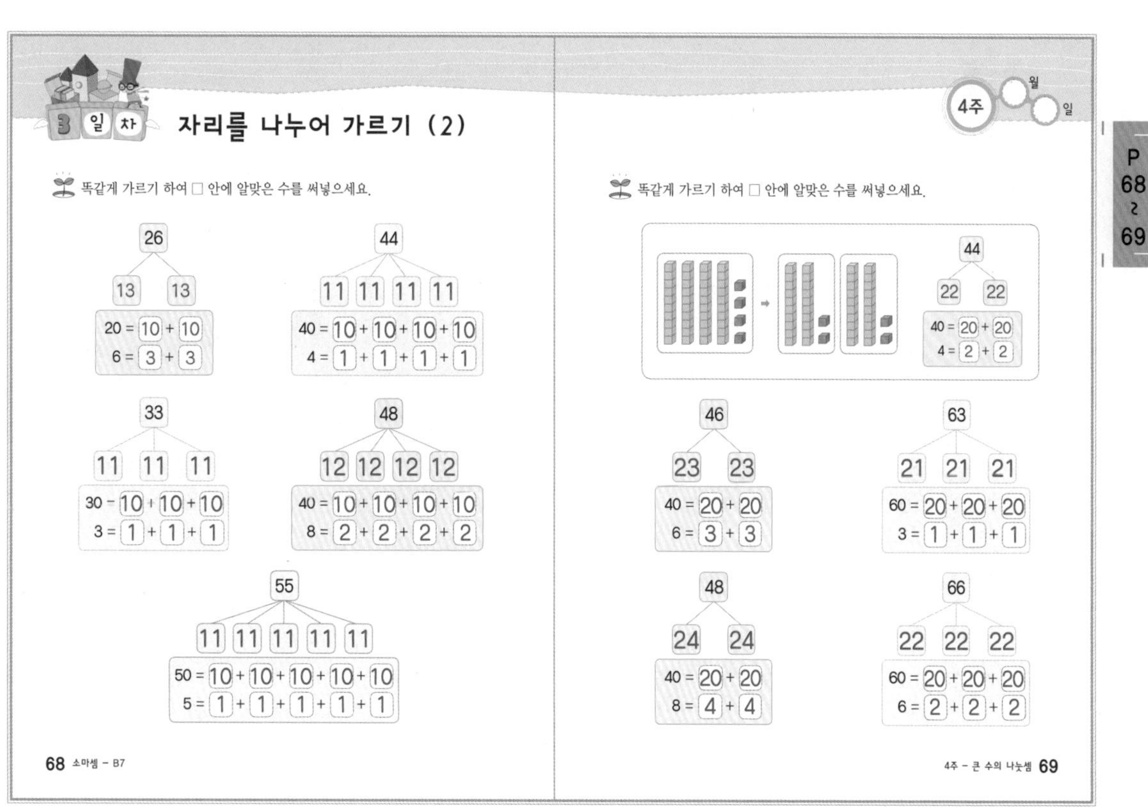
3일차 자리를 나누어 가르기 (2)

똑같게 가르기 하여 □ 안에 알맞은 수를 써넣으세요.

26
13 13
20 = 10 + 10
6 = 3 + 3

44
11 11 11 11
40 = 10 + 10 + 10 + 10
4 = 1 + 1 + 1 + 1

33
11 11 11
30 = 10 + 10 + 10
3 = 1 + 1 + 1

48
12 12 12 12
40 = 10 + 10 + 10 + 10
8 = 2 + 2 + 2 + 2

55
11 11 11 11 11
50 = 10 + 10 + 10 + 10 + 10
5 = 1 + 1 + 1 + 1 + 1

68 소마셈 - B7

4주 월 일

똑같게 가르기 하여 □ 안에 알맞은 수를 써넣으세요.

44
22 22
40 = 20 + 20
4 = 2 + 2

46
23 23
40 = 20 + 20
6 = 3 + 3

63
21 21 21
60 = 20 + 20 + 20
3 = 1 + 1 + 1

48
24 24
40 = 20 + 20
8 = 4 + 4

66
22 22 22
60 = 20 + 20 + 20
6 = 2 + 2 + 2

4주 - 큰 수의 나눗셈 69

P 70~71

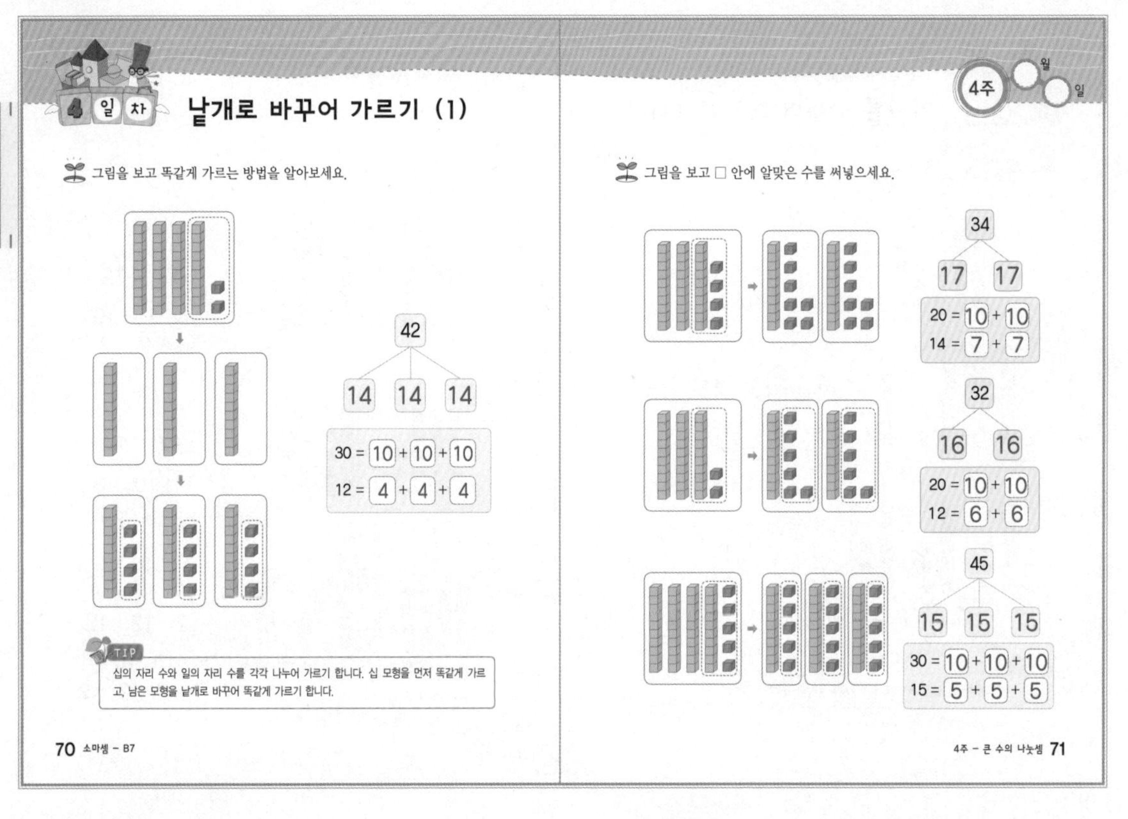

4일차 낱개로 바꾸어 가르기 (1)

그림을 보고 똑같게 가르는 방법을 알아보세요.

42 → 14, 14, 14

30 = 10 + 10 + 10

12 = 4 + 4 + 4

TIP
십의 자리 수와 일의 자리 수를 각각 나누어 가르기 합니다. 십 모형을 먼저 똑같게 가르고, 남은 모형을 낱개로 바꾸어 똑같게 가르기 합니다.

70 소마셈 - B7

4주 월 일

그림을 보고 □ 안에 알맞은 수를 써넣으세요.

34 → 17, 17
20 = 10 + 10
14 = 7 + 7

32 → 16, 16
20 = 10 + 10
12 = 6 + 6

45 → 15, 15, 15
30 = 10 + 10 + 10
15 = 5 + 5 + 5

4주 - 큰 수의 나눗셈 71

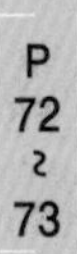

P 72~73

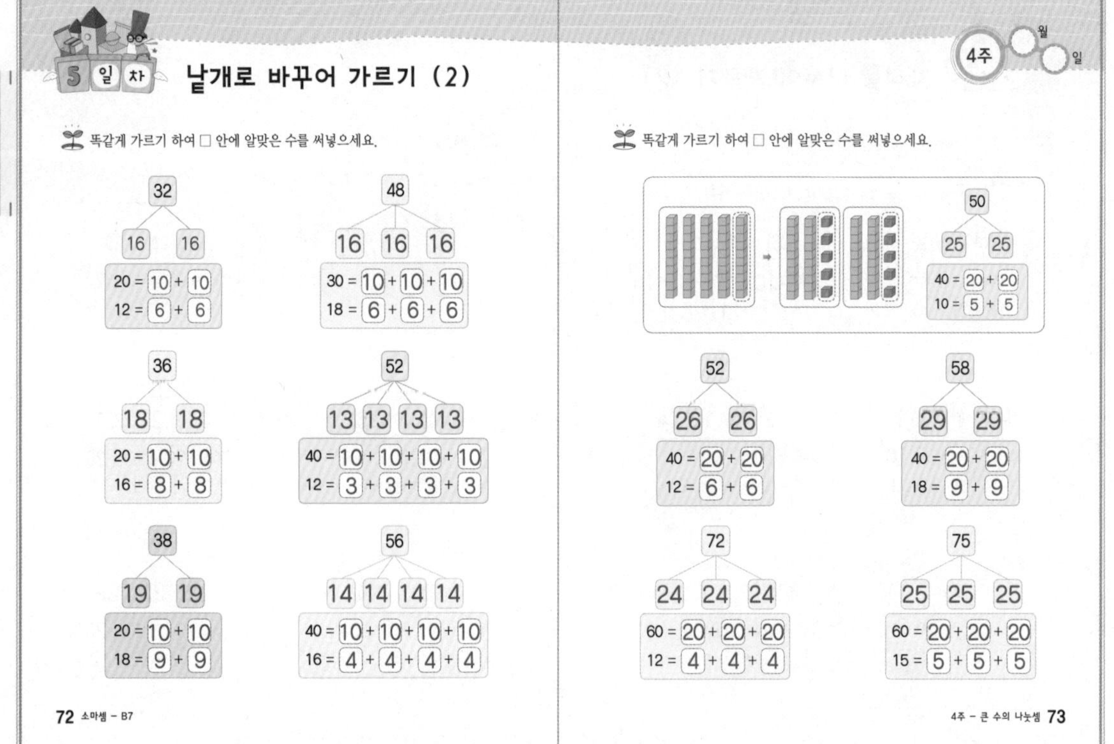

5일차 낱개로 바꾸어 가르기 (2)

똑같게 가르기 하여 □ 안에 알맞은 수를 써넣으세요.

32 → 16, 16
20 = 10 + 10
12 = 6 + 6

48 → 16, 16, 16
30 = 10 + 10 + 10
18 = 6 + 6 + 6

36 → 18, 18
20 = 10 + 10
16 = 8 + 8

52 → 13, 13, 13, 13
40 = 10 + 10 + 10 + 10
12 = 3 + 3 + 3 + 3

38 → 19, 19
20 = 10 + 10
18 = 9 + 9

56 → 14, 14, 14, 14
40 = 10 + 10 + 10 + 10
16 = 4 + 4 + 4 + 4

72 소마셈 - B7

4주 월 일

똑같게 가르기 하여 □ 안에 알맞은 수를 써넣으세요.

50 → 25, 25
40 = 20 + 20
10 = 5 + 5

52 → 26, 26
40 = 20 + 20
12 = 6 + 6

58 → 29, 29
40 = 20 + 20
18 = 9 + 9

72 → 24, 24, 24
60 = 20 + 20 + 20
12 = 4 + 4 + 4

75 → 25, 25, 25
60 = 20 + 20 + 20
15 = 5 + 5 + 5

4주 - 큰 수의 나눗셈 73

똑같이 묶어 덜어 내기

□ 안에 알맞은 수를 써넣으세요.

20-5-5-5-5=0 → 20 ÷ 5 = 4

24-4-4-4-4-4-4=0 → 24 ÷ 4 = 6

24-8-8-8=0 → 24 ÷ 8 = 3

12-2-2-2-2-2-2=0 → 12 ÷ 2 = 6

18-3-3-3-3-3-3=0 → 18 ÷ 3 = 6

36-9-9-9-9=0 → 36 ÷ 9 = 4

49-7-7-7-7-7-7-7=0 → 49 ÷ 7 = 7

30-5-5-5-5-5-5=0 → 30 ÷ 5 = 6

□ 안에 알맞은 수를 써넣으세요.

45-9-9-9-9-9=0 → 45 ÷ 9 = 5

25-5-5-5-5-5=0 → 25 ÷ 5 = 5

42-7-7-7-7-7-7=0 → 42 ÷ 7 = 6

16-4-4-4-4=0 → 16 ÷ 4 = 4

32-8-8-8-8=0 → 32 ÷ 8 = 4

28-4-4-4-4-4-4-4=0 → 28 ÷ 4 = 7

16-2-2-2-2-2-2-2-2=0 → 16 ÷ 2 = 8

42-6-6-6-6-6-6-6=0 → 42 ÷ 6 = 7

P 76 ~ 77

□ 안에 알맞은 수를 써넣으세요.

21-7-7-7=0 → 21 ÷ 7 = 3

35-7-7-7-7-7=0 → 35 ÷ 7 = 5

30-5-5-5-5-5-5=0 → 30 ÷ 5 = 6

24-6-6-6-6=0 → 24 ÷ 6 = 4

16-8-8=0 → 16 ÷ 8 = 2

40-8-8-8-8-8=0 → 40 ÷ 8 = 5

32-4-4-4-4-4-4-4-4=0 → 32 ÷ 4 = 8

14-2-2-2-2-2-2-2=0 → 14 ÷ 2 = 7

□ 안에 알맞은 수를 써넣으세요.

54-9-9-9-9-9-9=0 → 54 ÷ 9 = 6

24-8-8-8=0 → 24 ÷ 8 = 3

36-6-6-6-6-6-6=0 → 36 ÷ 6 = 6

15-3-3-3-3-3=0 → 15 ÷ 3 = 5

10-2-2-2-2-2=0 → 10 ÷ 2 = 5

40-8-8-8-8-8=0 → 40 ÷ 8 = 5

28-7-7-7-7=0 → 28 ÷ 7 = 4

21-3-3-3-3-3-3-3=0 → 21 ÷ 3 = 7

P 78 ~ 79

정답

P 80 ~ 81

1주차 drill

□ 안에 알맞은 수를 써넣으세요.

$2 \times \boxed{7} = 14$, $14 \div 2 = \boxed{7}$

$5 \times \boxed{8} = 40$, $40 \div 5 = \boxed{8}$

$6 \times \boxed{6} = 36$, $36 \div 6 = \boxed{6}$

$7 \times \boxed{3} = 21$, $21 \div 7 = \boxed{3}$

$6 \times \boxed{3} = 18$, $18 \div 6 = \boxed{3}$

$7 \times \boxed{4} = 28$, $28 \div 7 = \boxed{4}$

$4 \times \boxed{7} = 28$, $28 \div 4 = \boxed{7}$

$8 \times \boxed{7} = 56$, $56 \div 8 = \boxed{7}$

80 소마셈 – B7

□ 안에 알맞은 수를 써넣으세요.

$5 \times \boxed{4} = 20$, $20 \div 5 = \boxed{4}$

$6 \times \boxed{7} = 42$, $42 \div 6 = \boxed{7}$

$5 \times \boxed{5} = 25$, $25 \div 5 = \boxed{5}$

$4 \times \boxed{5} = 20$, $20 \div 4 = \boxed{5}$

$4 \times \boxed{6} = 24$, $24 \div 4 = \boxed{6}$

$3 \times \boxed{7} = 21$, $21 \div 3 = \boxed{7}$

$8 \times \boxed{2} = 16$, $16 \div 8 = \boxed{2}$

$9 \times \boxed{5} = 45$, $45 \div 9 = \boxed{5}$

Drill – 보충학습 81

P 82 ~ 83

1주차 drill

□ 안에 알맞은 수를 써넣으세요.

$3 \times \boxed{5} = 15$, $15 \div 3 = \boxed{5}$

$5 \times \boxed{7} = 35$, $35 \div 5 = \boxed{7}$

$6 \times \boxed{7} = 42$, $42 \div 6 = \boxed{7}$

$7 \times \boxed{4} = 28$, $28 \div 7 = \boxed{4}$

$9 \times \boxed{2} = 18$, $18 \div 9 = \boxed{2}$

$8 \times \boxed{4} = 32$, $32 \div 8 = \boxed{4}$

$7 \times \boxed{7} = 49$, $49 \div 7 = \boxed{7}$

$8 \times \boxed{9} = 72$, $72 \div 8 = \boxed{9}$

82 소마셈 – B7

□ 안에 알맞은 수를 써넣으세요.

$6 \times \boxed{8} = 48$, $48 \div 6 = \boxed{8}$

$8 \times \boxed{8} = 64$, $64 \div 8 = \boxed{8}$

$5 \times \boxed{7} = 35$, $35 \div 5 = \boxed{7}$

$4 \times \boxed{7} = 28$, $28 \div 4 = \boxed{7}$

$9 \times \boxed{5} = 45$, $45 \div 9 = \boxed{5}$

$3 \times \boxed{8} = 24$, $24 \div 3 = \boxed{8}$

$8 \times \boxed{3} = 24$, $24 \div 8 = \boxed{3}$

$9 \times \boxed{3} = 27$, $27 \div 9 = \boxed{3}$

Drill – 보충학습 83

똑같게 나누기

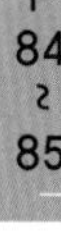

□ 안에 알맞은 수를 써넣으세요.

2 × [6] = 12
12 ÷ 2 = [6]

3 × [3] = 9
9 ÷ 3 = [3]

5 × [7] = 35
35 ÷ 5 = [7]

7 × [2] = 14
14 ÷ 7 = [2]

6 × [2] = 12
12 ÷ 6 = [2]

8 × [6] = 48
48 ÷ 8 = [6]

6 × [7] = 42
42 ÷ 6 = [7]

9 × [7] = 63
63 ÷ 9 = [7]

□ 안에 알맞은 수를 써넣으세요.

8 × [8] = 64
64 ÷ 8 = [8]

2 × [5] = 10
10 ÷ 2 = [5]

5 × [3] = 15
15 ÷ 5 = [3]

7 × [3] = 21
21 ÷ 7 = [3]

5 × [6] = 30
30 ÷ 5 = [6]

8 × [9] = 72
72 ÷ 8 = [9]

4 × [4] = 16
16 ÷ 4 = [4]

9 × [9] = 81
81 ÷ 9 = [9]

P
86
~
87

□ 안에 알맞은 수를 써넣으세요.

3 × [8] = 24
24 ÷ 3 = [8]

2 × [9] = 18
18 ÷ 2 = [9]

5 × [3] = 15
15 ÷ 5 = [3]

7 × [5] = 35
35 ÷ 7 = [5]

6 × [9] = 54
54 ÷ 6 = [9]

4 × [8] = 32
32 ÷ 4 = [8]

9 × [6] = 54
54 ÷ 9 = [6]

8 × [3] = 24
24 ÷ 8 = [3]

□ 안에 알맞은 수를 써넣으세요.

6 × [3] = 18
18 ÷ 6 = [3]

5 × [9] = 45
45 ÷ 5 = [9]

2 × [8] = 16
16 ÷ 2 = [8]

3 × [9] = 27
27 ÷ 3 = [9]

7 × [7] = 49
49 ÷ 7 = [7]

8 × [4] = 32
32 ÷ 8 = [4]

4 × [9] = 36
36 ÷ 4 = [9]

9 × [4] = 36
36 ÷ 9 = [4]

정답

P 88 ~ 89

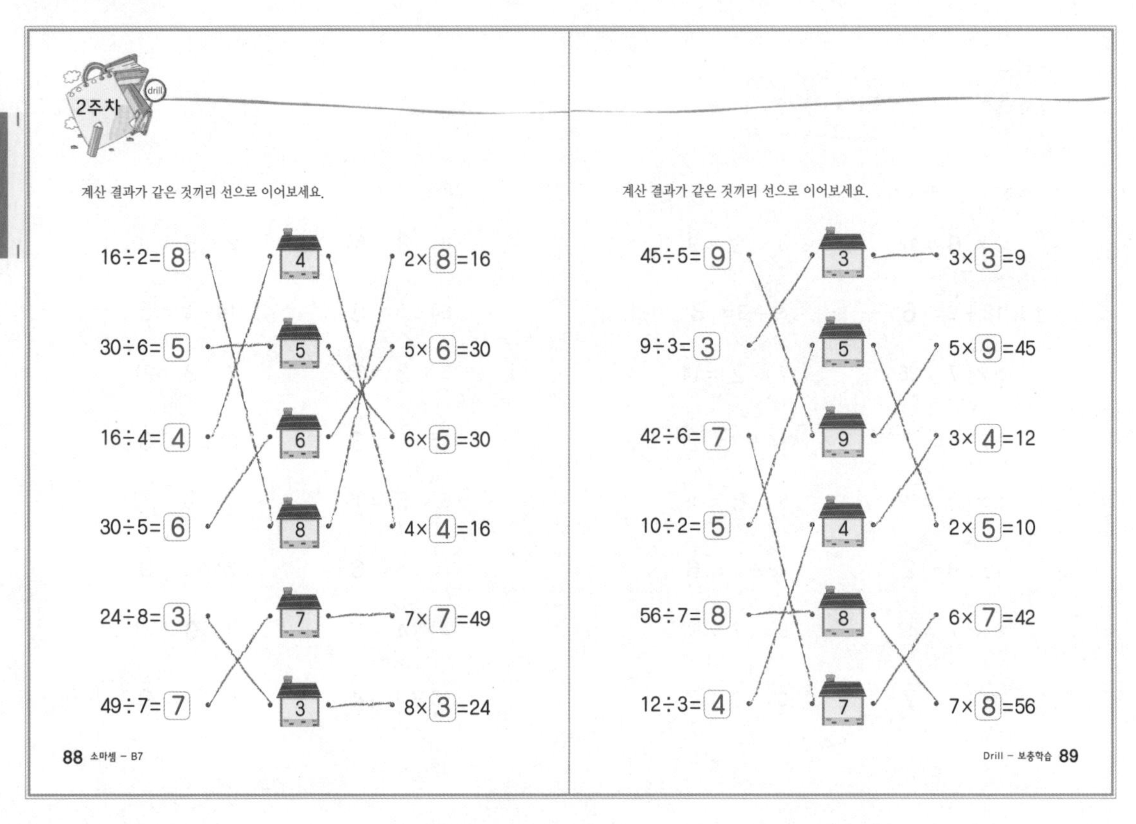
2주차
drill
계산 결과가 같은 것끼리 선으로 이어보세요.
16÷2=8
30÷6=5
16÷4=4
30÷5=6
24÷8=3
49÷7=7
4
5
6
8
7
3
2×8=16
5×6=30
6×5=30
4×4=16
7×7=49
8×3=24
88 소마셈 – B7
계산 결과가 같은 것끼리 선으로 이어보세요.
45÷5=9
9÷3=3
42÷6=7
10÷2=5
56÷7=8
12÷3=4
3
5
9
4
8
7
3×3=9
5×9=45
3×4=12
2×5=10
6×7=42
7×8=56
Drill – 보충학습 89

P 90 ~ 91

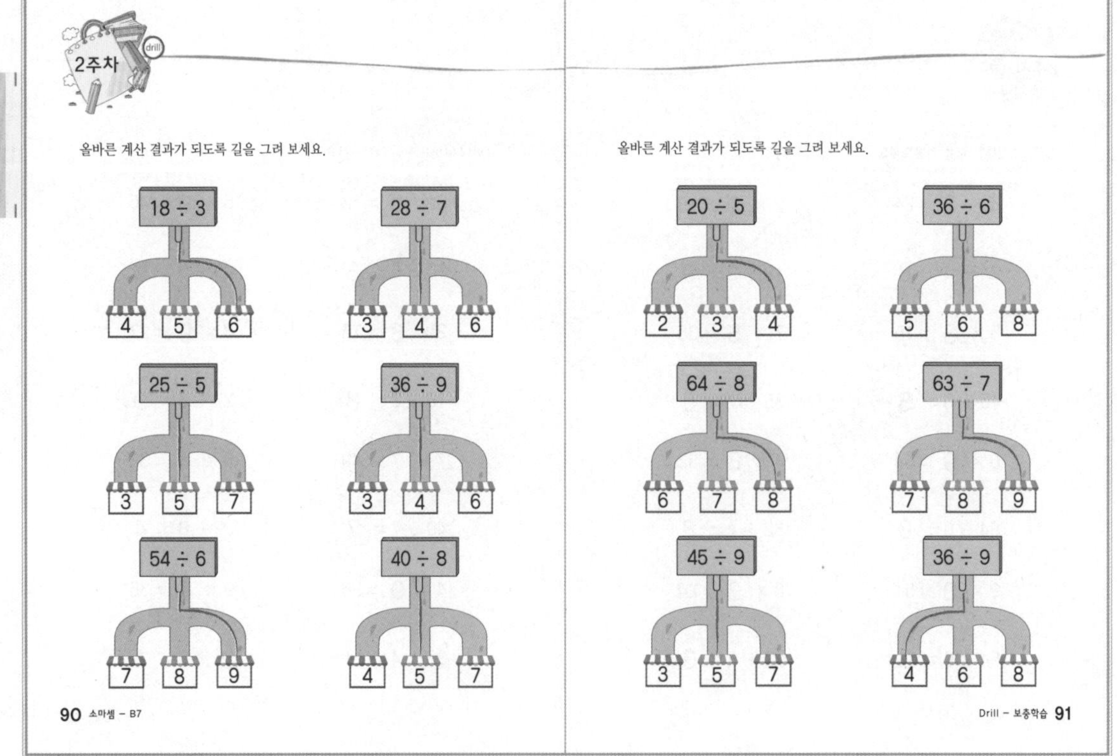
2주차
drill
올바른 계산 결과가 되도록 길을 그려 보세요.
18 ÷ 3
4
5
6
28 ÷ 7
3
4
6
25 ÷ 5
3
5
7
36 ÷ 9
3
4
6
54 ÷ 6
7
8
9
40 ÷ 8
4
5
7
90 소마셈 – B7
올바른 계산 결과가 되도록 길을 그려 보세요.
20 ÷ 5
2
3
4
36 ÷ 6
5
6
8
64 ÷ 8
6
7
8
63 ÷ 7
7
8
9
45 ÷ 9
3
5
7
36 ÷ 9
4
6
8
Drill – 보충학습 91

나눗셈구구

□ 안에 알맞은 수를 써넣으세요.

18 ÷ 3 = 6
35 ÷ 7 = 5
81 ÷ 9 = 9
30 ÷ 6 = 5
24 ÷ 4 = 6
27 ÷ 3 = 9
12 ÷ 6 = 2

40 ÷ 8 = 5
21 ÷ 3 = 7
42 ÷ 6 = 7
27 ÷ 9 = 3
14 ÷ 2 = 7
40 ÷ 8 = 5
20 ÷ 4 = 5

□ 안에 알맞은 수를 써넣으세요.

28 ÷ 4 = 7
54 ÷ 9 = 6
24 ÷ 8 = 3
8 ÷ 2 = 4
48 ÷ 6 = 8
9 ÷ 3 = 3
28 ÷ 7 = 4

16 ÷ 8 = 2
56 ÷ 8 = 7
56 ÷ 7 = 8
25 ÷ 5 = 5
28 ÷ 7 = 4
32 ÷ 4 = 8
48 ÷ 8 = 6

P 92 ~ 93

□ 안에 알맞은 수를 써넣으세요.

21 ÷ 3 = 7
30 ÷ 5 = 6
72 ÷ 9 = 8
28 ÷ 4 = 7
24 ÷ 3 = 8
18 ÷ 6 = 3
18 ÷ 2 = 9

48 ÷ 6 = 8
18 ÷ 3 = 6
36 ÷ 6 = 6
24 ÷ 4 = 6
12 ÷ 3 = 4
30 ÷ 5 = 6
20 ÷ 5 = 4

□ 안에 알맞은 수를 써넣으세요.

36 ÷ 4 = 9
45 ÷ 9 = 5
32 ÷ 8 = 4
10 ÷ 2 = 5
42 ÷ 6 = 7
12 ÷ 3 = 4
35 ÷ 7 = 5

64 ÷ 8 = 8
63 ÷ 7 = 9
30 ÷ 5 = 6
49 ÷ 7 = 7
32 ÷ 4 = 8
45 ÷ 5 = 9
54 ÷ 9 = 6

P 94 ~ 95

P 96 ~ 97

3주차 drill

□ 안에 알맞은 수를 써넣으세요.

32 ÷ 8 = 4	12 ÷ 3 = 4
36 ÷ 6 = 6	14 ÷ 7 = 2
15 ÷ 3 = 5	20 ÷ 4 = 5
63 ÷ 7 = 9	10 ÷ 2 = 5
28 ÷ 4 = 7	54 ÷ 6 = 9
45 ÷ 9 = 5	42 ÷ 7 = 6
27 ÷ 9 = 3	18 ÷ 9 = 2

96 소마셈 – B7

□ 안에 알맞은 수를 써넣으세요.

36 ÷ 9 = 4	30 ÷ 5 = 6
7 ÷ 7 = 1	72 ÷ 9 = 8
20 ÷ 4 = 5	30 ÷ 6 = 5
21 ÷ 7 = 3	64 ÷ 8 = 8
24 ÷ 6 = 4	28 ÷ 7 = 4
49 ÷ 7 = 7	24 ÷ 3 = 8
32 ÷ 4 = 8	40 ÷ 5 = 8

Drill – 보충학습 97

P 98 ~ 99

3주차 drill

□ 안에 알맞은 수를 써넣으세요.

40 ÷ 8 = 5	15 ÷ 5 = 3
54 ÷ 6 = 9	21 ÷ 3 = 7
15 ÷ 5 = 3	20 ÷ 4 = 5
64 ÷ 8 = 8	12 ÷ 2 = 6
36 ÷ 4 = 9	48 ÷ 6 = 8
18 ÷ 9 = 2	49 ÷ 7 = 7
35 ÷ 7 = 5	27 ÷ 9 = 3

98 소마셈 – B7

□ 안에 알맞은 수를 써넣으세요.

28 ÷ 4 = 7	9 ÷ 3 = 3
6 ÷ 3 = 2	72 ÷ 8 = 9
16 ÷ 4 = 4	36 ÷ 6 = 6
25 ÷ 5 = 5	72 ÷ 9 = 8
35 ÷ 7 = 5	21 ÷ 3 = 7
32 ÷ 8 = 4	40 ÷ 5 = 8
18 ÷ 6 = 3	24 ÷ 4 = 6

Drill – 보충학습 99

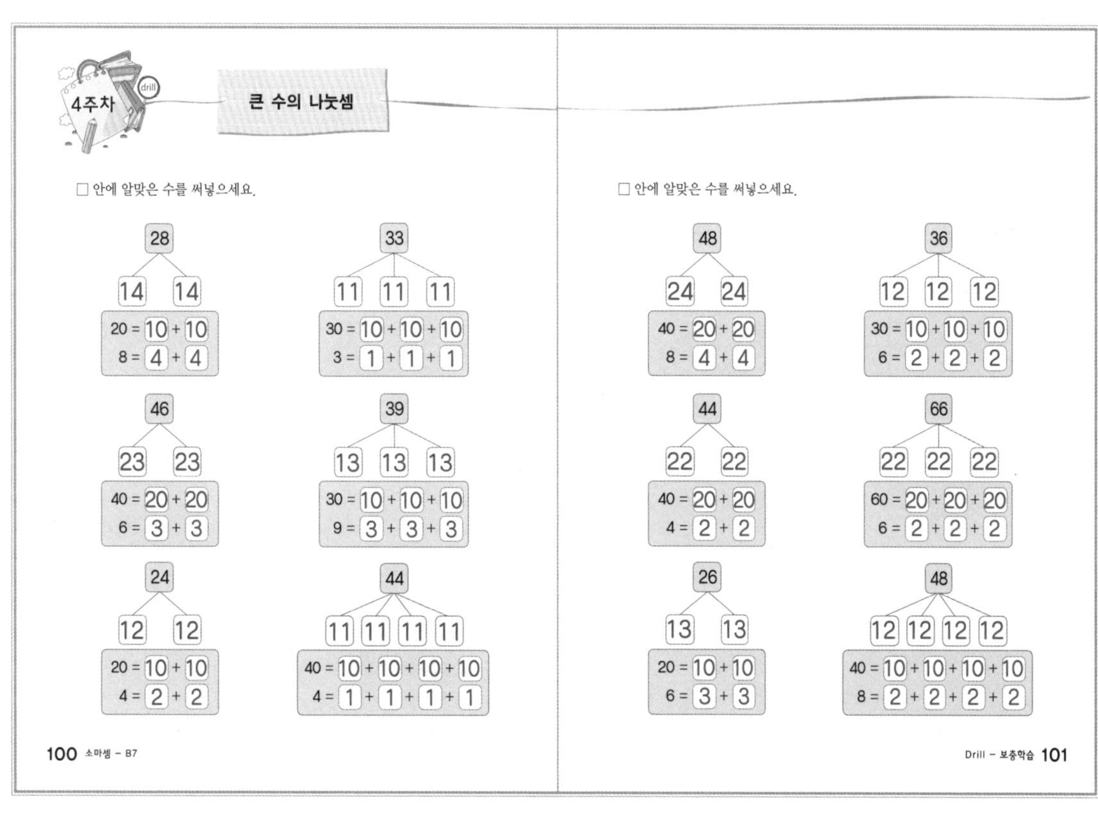

4주차 drill

큰 수의 나눗셈

□ 안에 알맞은 수를 써넣으세요.

28 → 14, 14; 20 = 10 + 10; 8 = 4 + 4

33 → 11, 11, 11; 30 = 10 + 10 + 10; 3 = 1 + 1 + 1

46 → 23, 23; 40 = 20 + 20; 6 = 3 + 3

39 → 13, 13, 13; 30 = 10 + 10 + 10; 9 = 3 + 3 + 3

24 → 12, 12; 20 = 10 + 10; 4 = 2 + 2

44 → 11, 11, 11, 11; 40 = 10 + 10 + 10 + 10; 4 = 1 + 1 + 1 + 1

100 소마셈 - B7

□ 안에 알맞은 수를 써넣으세요.

48 → 24, 24; 40 = 20 + 20; 8 = 4 + 4

36 → 12, 12, 12; 30 = 10 + 10 + 10; 6 = 2 + 2 + 2

44 → 22, 22; 40 = 20 + 20; 4 = 2 + 2

66 → 22, 22, 22; 60 = 20 + 20 + 20; 6 = 2 + 2 + 2

26 → 13, 13; 20 = 10 + 10; 6 = 3 + 3

48 → 12, 12, 12, 12; 40 = 10 + 10 + 10 + 10; 8 = 2 + 2 + 2 + 2

Drill - 보충학습 101

P 100 ~ 101

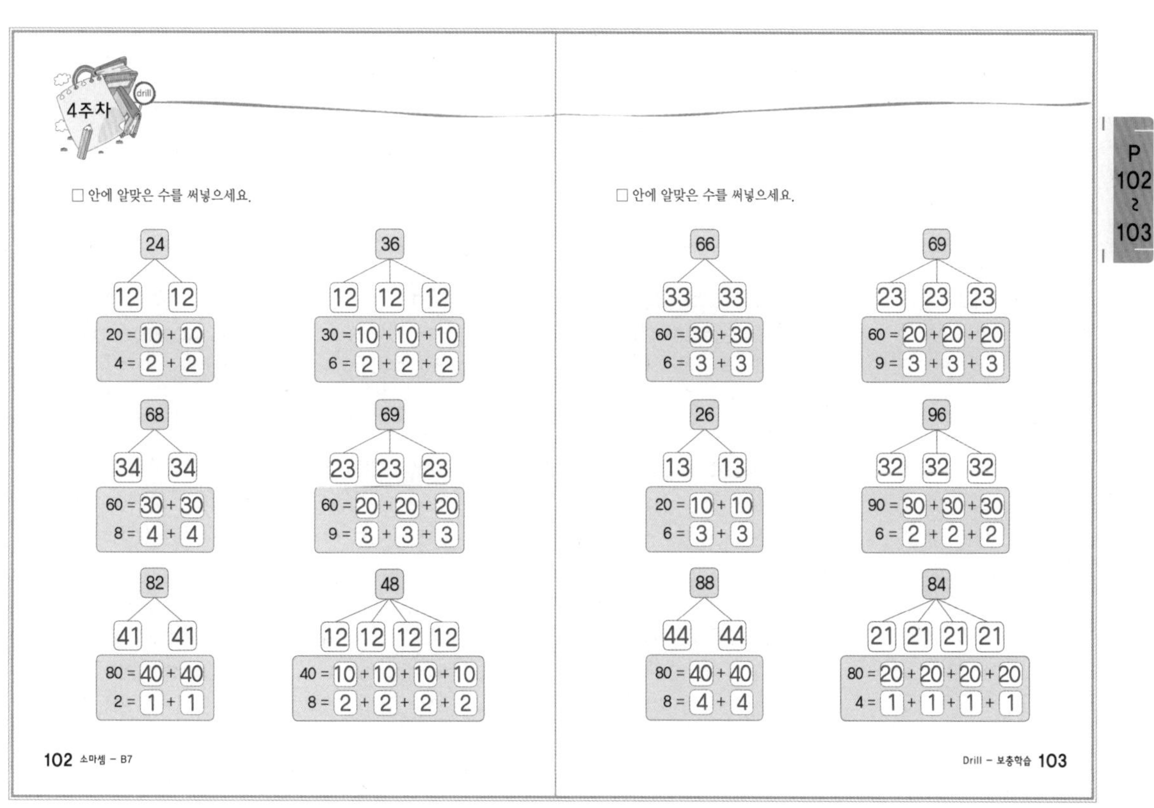

4주차 drill

□ 안에 알맞은 수를 써넣으세요.

24 → 12, 12; 20 = 10 + 10; 4 = 2 + 2

36 → 12, 12, 12; 30 = 10 + 10 + 10; 6 = 2 + 2 + 2

68 → 34, 34; 60 = 30 + 30; 8 = 4 + 4

69 → 23, 23, 23; 60 = 20 + 20 + 20; 9 = 3 + 3 + 3

82 → 41, 41; 80 = 40 + 40; 2 = 1 + 1

48 → 12, 12, 12, 12; 40 = 10 + 10 + 10 + 10; 8 = 2 + 2 + 2 + 2

102 소마셈 - B7

□ 안에 알맞은 수를 써넣으세요.

66 → 33, 33; 60 = 30 + 30; 6 = 3 + 3

69 → 23, 23, 23; 60 = 20 + 20 + 20; 9 = 3 + 3 + 3

26 → 13, 13; 20 = 10 + 10; 6 = 3 + 3

96 → 32, 32, 32; 90 = 30 + 30 + 30; 6 = 2 + 2 + 2

88 → 44, 44; 80 = 40 + 40; 8 = 4 + 4

84 → 21, 21, 21, 21; 80 = 20 + 20 + 20 + 20; 4 = 1 + 1 + 1 + 1

Drill - 보충학습 103

P 102 ~ 103

P 104 ~ 105

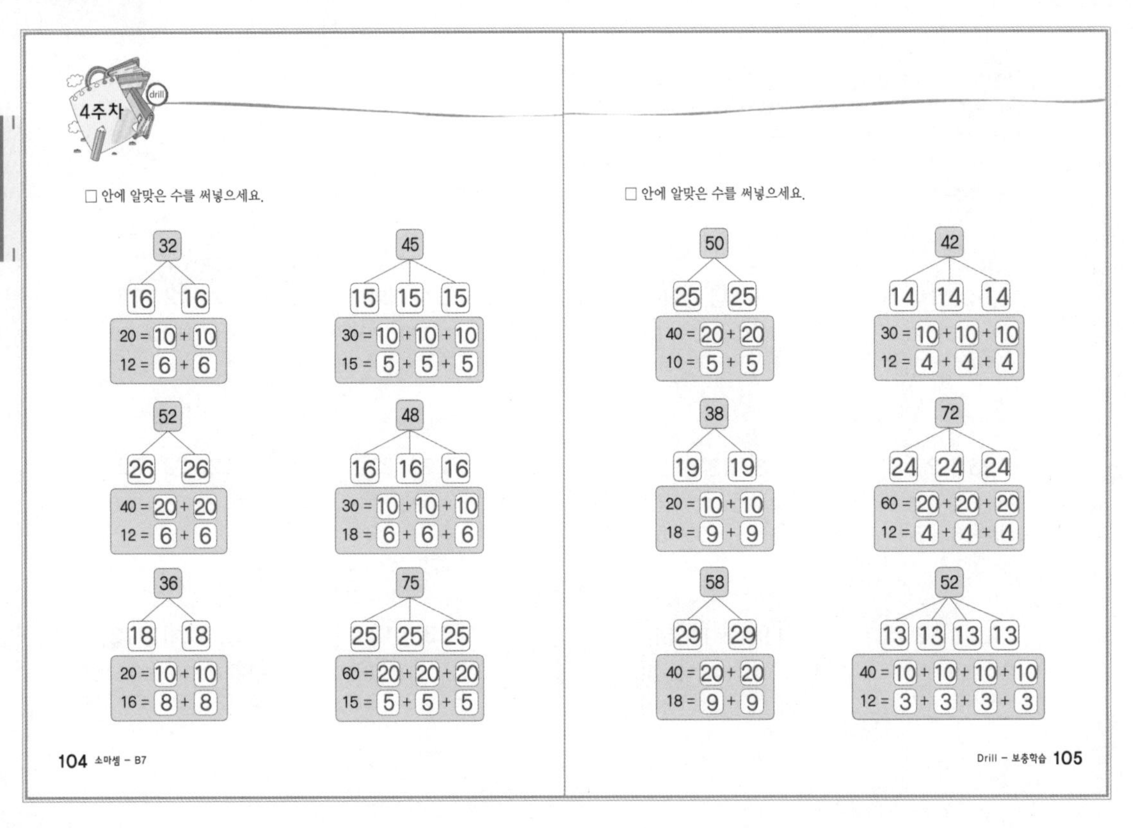

4주차 drill

□ 안에 알맞은 수를 써넣으세요.

32 → 16, 16
$20 = 10 + 10$
$12 = 6 + 6$

45 → 15, 15, 15
$30 = 10 + 10 + 10$
$15 = 5 + 5 + 5$

52 → 26, 26
$40 = 20 + 20$
$12 = 6 + 6$

48 → 16, 16, 16
$30 = 10 + 10 + 10$
$18 = 6 + 6 + 6$

36 → 18, 18
$20 = 10 + 10$
$16 = 8 + 8$

75 → 25, 25, 25
$60 = 20 + 20 + 20$
$15 = 5 + 5 + 5$

104 소마셈 – B7

□ 안에 알맞은 수를 써넣으세요.

50 → 25, 25
$40 = 20 + 20$
$10 = 5 + 5$

42 → 14, 14, 14
$30 = 10 + 10 + 10$
$12 = 4 + 4 + 4$

38 → 19, 19
$20 = 10 + 10$
$18 = 9 + 9$

72 → 24, 24, 24
$60 = 20 + 20 + 20$
$12 = 4 + 4 + 4$

58 → 29, 29
$40 = 20 + 20$
$18 = 9 + 9$

52 → 13, 13, 13, 13
$40 = 10 + 10 + 10 + 10$
$12 = 3 + 3 + 3 + 3$

Drill – 보충학습 105

P 106 ~ 107

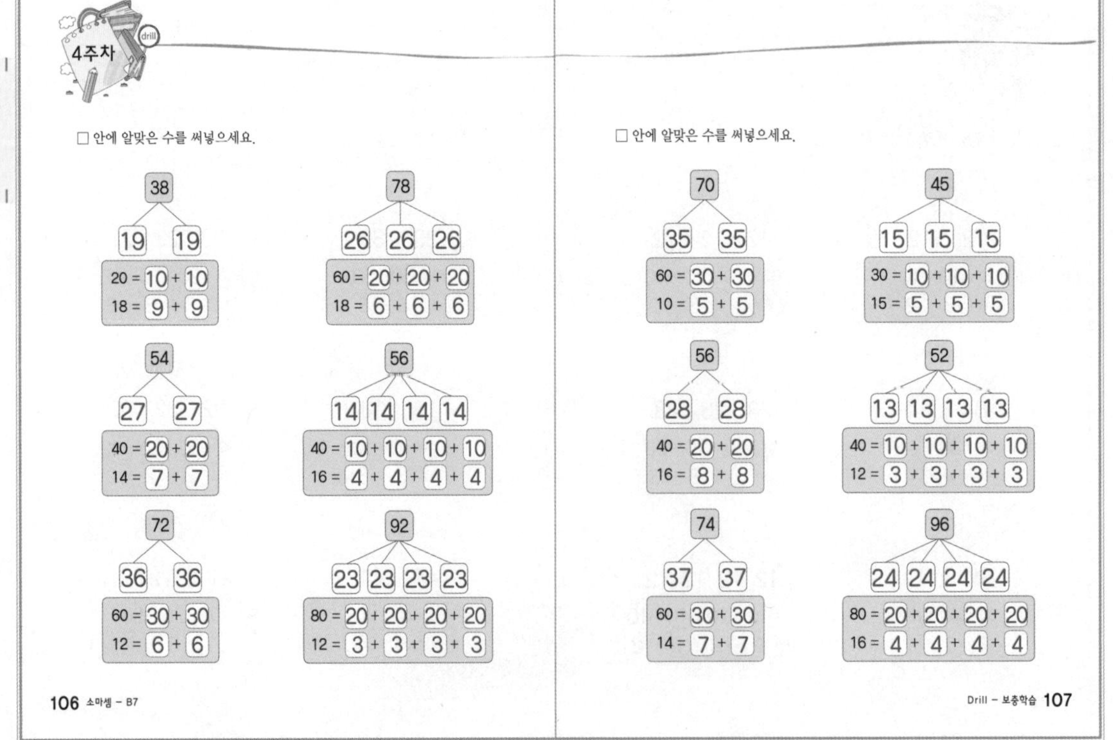

4주차 drill

□ 안에 알맞은 수를 써넣으세요.

38 → 19, 19
$20 = 10 + 10$
$18 = 9 + 9$

78 → 26, 26, 26
$60 = 20 + 20 + 20$
$18 = 6 + 6 + 6$

54 → 27, 27
$40 = 20 + 20$
$14 = 7 + 7$

56 → 14, 14, 14, 14
$40 = 10 + 10 + 10 + 10$
$16 = 4 + 4 + 4 + 4$

72 → 36, 36
$60 = 30 + 30$
$12 = 6 + 6$

92 → 23, 23, 23, 23
$80 = 20 + 20 + 20 + 20$
$12 = 3 + 3 + 3 + 3$

106 소마셈 – B7

□ 안에 알맞은 수를 써넣으세요.

70 → 35, 35
$60 = 30 + 30$
$10 = 5 + 5$

45 → 15, 15, 15
$30 = 10 + 10 + 10$
$15 = 5 + 5 + 5$

56 → 28, 28
$40 = 20 + 20$
$16 = 8 + 8$

52 → 13, 13, 13, 13
$40 = 10 + 10 + 10 + 10$
$12 = 3 + 3 + 3 + 3$

74 → 37, 37
$60 = 30 + 30$
$14 = 7 + 7$

96 → 24, 24, 24, 24
$80 = 20 + 20 + 20 + 20$
$16 = 4 + 4 + 4 + 4$

Drill – 보충학습 107

Note

Note

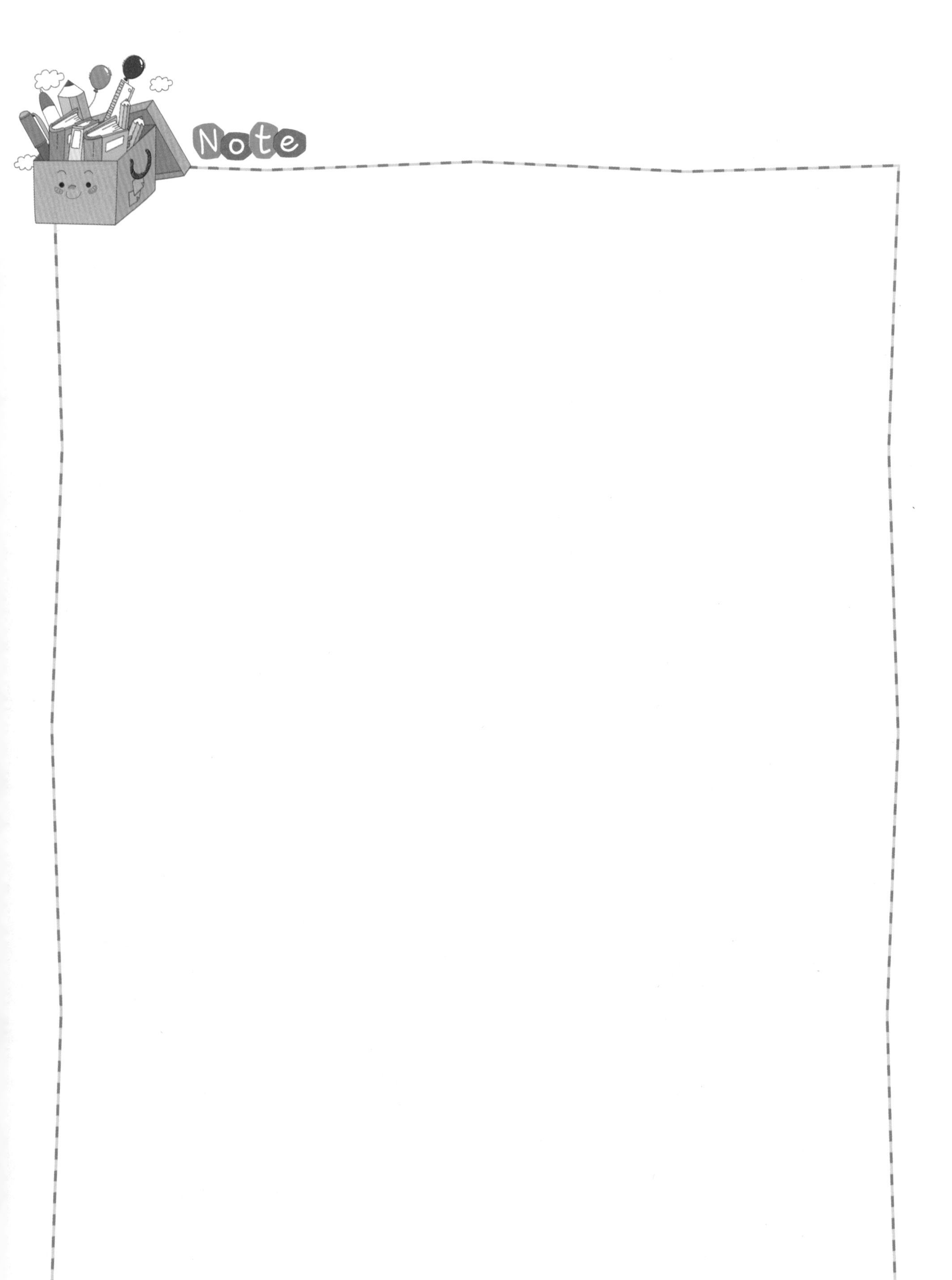
Note

Note